2019

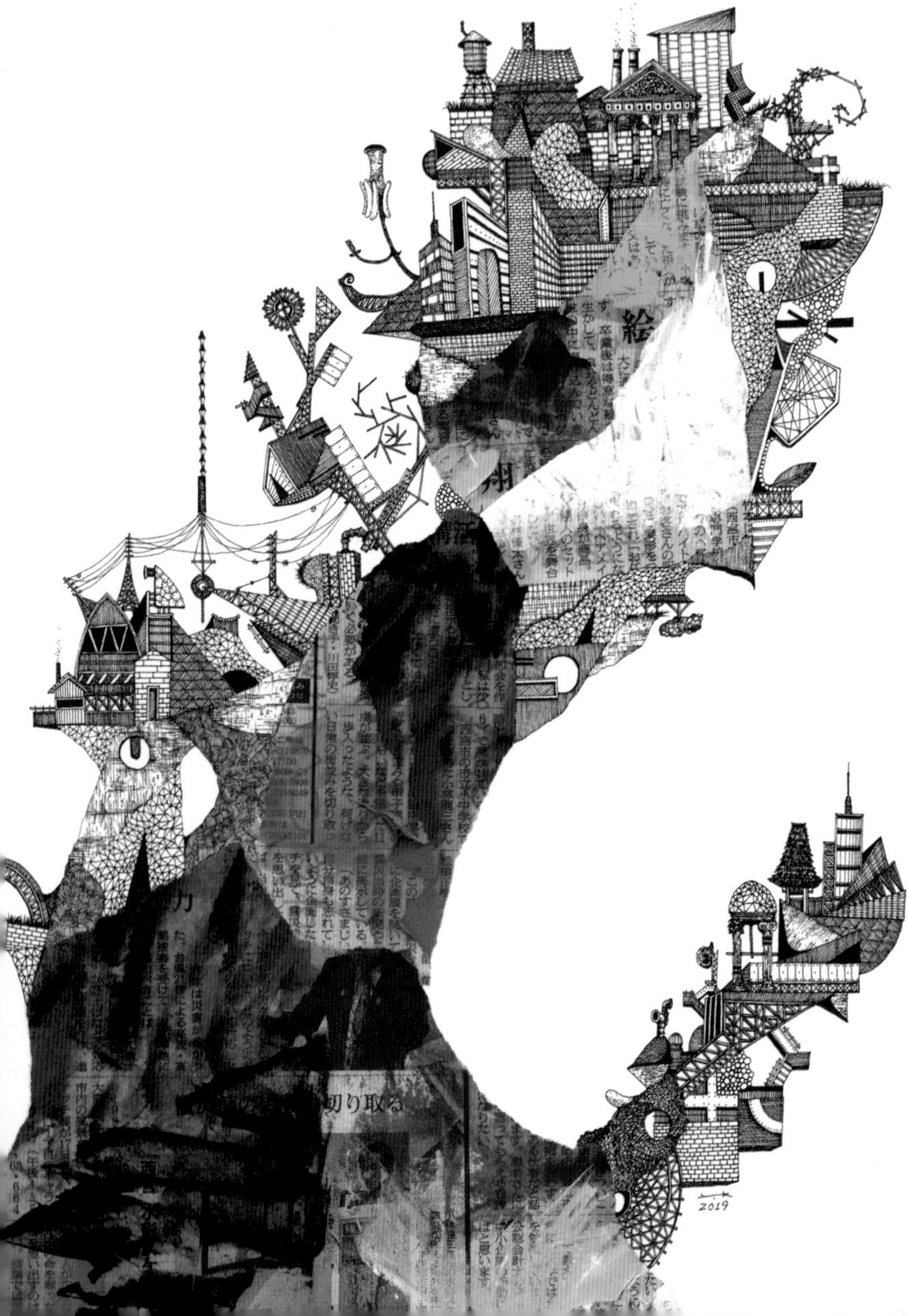
絵
切り取る
2019

つくるを

ひらく

光嶋裕介

まえがきに代えて

本書は、わたしが建築家として描いている幻想都市風景の新作ドローイングを銀座の蔦屋書店にて二〇一九年八月二七日より一カ月ほど展示させてもらったご縁をきっかけとして、もっともリスペクトする「つくり手」である後藤正文さんや内田樹《たつる》先生、いとうせいこうさん、束芋《たばいも》さん、鈴木理策《りさく》さんといったそれぞれのフィールドで活躍する錚々《そうそう》たる方々と「空間を身体で思考する」というテーマで毎週重ねた対話をまとめたものです。

事前に対談メモをスケッチし、公開対談をして、その余韻に浸《ひた》りながら、ずっと考え続けてきたプロセスを記録した、わたしにとってたいせつな一冊のノートのようなもの。五人の創作の秘訣を伺ってみると、皆さんが「つくる」ことを「ひら」いてくれたことに、多くの学びがありました。

手元にある『広辞苑』（第四版、岩波書店）をひらいてみると、他動詞の「ひらく」には、（1）閉じているものをあける（2）はじめる（3）滞っているものを除く（4）明らかにする（5）よい方に向ける（6）心を晴れ晴れした状態にする（7）ひろげる（8）初めて使う（9）開板する（10）開墾する（11）托鉢する（12）「割る」「砕く」などの忌詞《いみことば》（13）乗根を求める、など多くの意味があります。

物が過剰にあふれ、つくりすぎてきた現代《いま》こそ、この「つくる」ことを改めて「ひらく」必要があるように思えてなりません。これからの時代における「つくる」ことの本当の意味、あるいは「ひらく」ことの豊かな可能性について、わたしは五人との対話を通してたくさん学ばせてもらいました。こうしたら良いという絶対的な答えはありませんが、こうすれば良いのかもしれないというヒントはたくさんあり、そうした発見や気づきを通して読者の皆さんと一緒に考えながら学びの時間を共有できたら幸いです。

目次

まえがきに代えて …… 010

第1章　皮膚感覚で思考する

・ミュージシャンの創作について思いを馳せる前夜 …… 016
・いま「新しさ」とは――後藤正文との対話 …… 020
・余韻――奇跡のような小さな記憶の断片を思い出す …… 041

第2章　集団で思考する

・高くそびえ立つ師との対談前夜 …… 048

・大人が増えれば「公共」は立ち上がる――内田樹との対話……055
・余韻――成熟した大人になるために……075

第3章　対話的に思考する

・前夜――幻想やポエジーの正体を知りたくて……082
・多孔性・反幻想・無時間――いとうせいこうとの対話……086
・千本ノックのあとの余韻……113

第4章　手で思考する

・三きょうだいの真ん中同士の対談前夜……122
・赦す・ゆらぎ・死――東芋との対話……127
・余韻――制作することと赦すこと……154

第5章　目で思考する

・前夜――眼の延長としてのカメラとは？　と想像する……162
・創造における身体と言語の関係――鈴木理策との対話……166
・余韻――偶然を捉え世界を愛でるおおらかな写真……190
・つくりながら生きる道～対話を終えて思うこと……201

第１章

皮膚感覚で思考する

ミュージシャンの創作について思いを馳せる前夜

五感のうちの視覚と聴覚とでは外の世界との関わり方が違う。目は見たいものを能動的につかまえようとして、耳は音を受動的にキャッチする。勝気な目と内気な耳。

わたしは建築を設計するときも、ドローイングを描くときも、音楽の力に助けてもらっている。目に見えない音楽をつくっているミュージシャンは身体をどのように使って、空間と対峙《たいじ》しているのだろうか。

ゴッチさんとはじめてお会いしたのは、二〇一四年のこと。ミシマ社のウェブ雑誌「みんなのミシマガジン」の特集企画として「僕たちの世代」という、思えばずいぶんと大胆なタイトルの鼎談《ていだん》をさせてもらったのである。場所はわたしが設計し、普段合気道のお稽古をしている凱風館《がいふうかん》の道場というホームグラウンドで、兄弟子でもあるミシマ社の三島さんを交えて三人で熱く語らった。ゴッチさんは、わたしの三つ上の兄と同い歳ということもあって、なんだか親近感が湧き、いささか前のめりだったとは思うが、信頼する兄貴分たちとの対話はたいへん愉快な時間となった。眼鏡姿が印象的なゴッチさんは、物腰が柔らかく、静かな闘志がみなぎる語り方で、ポーン、ポーンと気さくに話が展開した。初対面とは思えない言葉の高速キャッチボールが交わされた。いつもは道着を着て動き回っている道場空間に洋服を着て（具体的には畳の上で靴下を履いて）ずっと座っていることのほうに少し違和感を覚えた。

対話の初っ端《ぱな》に、わたしが創造行為の起点として「怒り」は必要か？　という趣旨の問いかけをしたら、ゴッチさんは明確にそれを否定したのをはっきり記憶している。わたしはつねづねなにかをうみ出すことに際して、「創造の泉」なる魔法のような秘訣があるのか、ないのかについて考えていた。

音楽の世界で生きるゴッチさんと話していると、なにごとに対しても真摯《しんし》に向き合っている姿勢が丁寧な言葉のチョイスからも感じられて、その思考が音楽に決してとどまらない柔軟性にいつも感心する。言葉や話し方にもゴッチさんらしさがある。たとえば、建築と音楽がどのようにして後世に残っていくかという話題のときに「音楽のいちばん大きい容れものは、人間だと思う」という発言には、ハッとさせられた。建築だって、人間の身体が「空間の器」として欠かせないという至極あたり前のことに気づかされたのだった。

なめらかな対話を通して浮かび上がるのは、ゴッチさんのミュージシャンとしての矜持《きょうじ》と音楽に対する正直で深い誠意だった。だからこそ、紡《つむ》ぎ出される一つひとつの言葉が静かにわたしの心に響くのだ。対話を終えると、なんだか少しだけ違った自分になった気がして、晴れやかな気持ちに包まれていた。くねくね曲がった山道をドライブしていて、ふっと見える遠くの宝石みたいな景色のように、予想もしなかった嬉しい発見がある。

この鼎談がご縁となり、のちにわたしの個展に来てくれたゴッチさんから思いもよらぬオファーをいただく。それは、ゴッチさんがフロントマンを務めるロックバンドASIAN KUNG-FU GENERATIONの全国ツアー《Wonder Future》のステージデザインとドローイングを提供させてもらうという夢のような大仕事だ。建築をつくるわけではないが、劇場のなかのステージにアジカンのための空間をデザインするという大いなる挑戦に心が躍り、二つ返事で受けさせてもらった。はじめての仕事にドキドキしながらも、ゴッチさんの「都市のなかで歌ってみたい」という要望を頼りに、できるかぎりの想像力を駆動させせようと、わたしはとにかく手を動かした。

北は北海道から、南は沖縄まで、二〇を超える劇場でわたしの設計した架空の都市を表象する白いビル群がステージ上に組み上げられた。そこに、プロジェクション・マッピングによって幻想都市風景のドローイングを立体的に浮かび上がらせるというアイディアを提案し、採用された。紙の上に描いた二次元のドローイングが、三次元の立体空間に立ち上がるのは圧巻だったし、なにより二〇〇〇〇人を超える観客と一体となるアジカンのステージに熱狂した。建築が上棟《じょうとう》するときに感じる感動的なエネルギーとはまた異質の、鳥肌が立つような身体の芯からゾクゾクする経験となった。それは、時間芸術としての音楽が、建築という空間芸術と幸福な結婚をした瞬間としてわたしには感じられた。劇場空間そのものが楽器となって振動し、まるで全身で浴びるように音楽をみんなで味わう感動的な体験だった。うまれたときから消えゆく形なき音楽の流れを少しでも記憶にとどめるための空間演出に強い可能性を感じた。

あれから四年の歳月が経ち、その後もずっと描き続けている幻想都市風景の最新ドローイングを観てもらいたいと思った。ゴッチさんがどんなことを考えながらいま創作に向き合っているのかを身体を軸にして、久しぶりに腰を据《す》えて訊いてみたくなった。

今回の対話は「皮膚感覚で思考する」というシンプルなタイトルにした。ゴッチさんがどのような身体感覚を意識しながら音楽をつくっているのか、ステージに上がってパフォーマンスしているときの感覚について、改めて伺《うかが》ってみたい。音楽にとっては、五感のなかでも聴覚がきっと優位にあると思われがちだが、わたしがゴッチさんのライブでいつも刺激されるのは、耳というより皮膚感覚である。まるでシャワーを浴びるかのように、音楽を身体全体の皮膚から吸収するような感じがあるのだ。

いま
「新しさ」とは
後藤正文との対話

身体はどのように
空間と対話するか

光嶋　今日は尊敬するゴッチさんと対談する機会が得られて、大変嬉しく思っています。思えば二〇一四年に僕の個展で幻想都市風景を見てもらったのがきっかけで、アジカンの《Wonder Future》のステージデザインをやらせてもらいました。

後藤　そうですね。建築家と一緒にステージをつくってみたかったんです。ホールツアーをやるってなったときに、なにができるかなって考えて。ホールってものすごくステージに奥行きがあって大きいんですよ、演劇とかもできるようになっているので。ロックのセットだったら三つ四つ乗せて回せるくらい後ろが広くて。だからちゃんとしたものをつくりたいなと思って。《Wonder Future》というアルバムは、幻想都市じゃないけど、架空の街のことを歌うというコンセプトがあったので、建築家がよくつくる白い模型があるじゃないですか、あのなかでライブをやってみたいと思ったんですよ。

光嶋　たしかに模型のようなステージになりましたね。

後藤　でもそこから、光嶋さんがプロジェクション・マッピングのアイディアとかを出してくださって。どんどん膨らんでいったのが面白かったですね。曲とも同期してて。

光嶋　「曲と同期して」っていうのは、とても嬉しい感想ですね。

　今日は、改めてゴッチさんと「音楽と建築」をテーマに「皮膚感覚で思考する」ということを考えてみたいと思っています。つまり、三次元の空間を設計する建築家として僕が関心をもっているのは、言葉としての言語はもちろんですが、非言語的なことも含めて僕たちの身体がどのように空間と対話して、それを創作につなげているのかということなんです。やっぱり視覚情報が占める影響力って大きいなぁと思います。

後藤 そうですね。

光嶋 見えているものが美しいとか、明るいとか、視覚によって入ってくる情報量はものすごく大きい。そして、見るという行為そのものは、世界をどうしても分節的に把握するのに便利なんです。言い方を換えると、見えているものは自分が見たいものであり、ついわかった気になりやすい。けれども、ギリシャ神話でもホメーロスなどの「盲目の詩人」が頻繁に登場するように、目が見えることと詩をうみ出すことの関連性みたいなものを考えていくと、視覚情報ではなくて、「見えないもの」をどのように感じるのかが肝《きも》のように思えてくる。空間をとらえるうえで、この不可視なものを感じるためには、皮膚感覚がたいせつなような気がします。というのも、日頃から建築という三次元と、ドローイングという二次元を行き来することが、建築家としての僕の創造することと深く関係していると感じているからです。

逆に、形のない音楽をつくっているゴッチさんは、そうした身体感覚をどういうふうに音楽に変換しているのか、ぜひ訊いてみたい。

後藤 音楽ってどうなんでしょうね。でもなんか、オブスキュアなもの、曖昧《あいまい》なものを曖昧なまま捕まえられるような感じがしています。たとえばコードをギターで「ギャアーン」と鳴らすじゃないですか。そうすると、なんだか説明のつかない気持ちなのに、よくわかることがあります。他人の曲もそうなんですけど、この音楽で鳴らしている感情、フィーリングみたいなものが、よくわかる。それは、日本語のバンドでもあるし、歌詞の意味が聴いたそばから理解できない海外のバンドでも伝わるんです。それこそが音楽の良いところだなって。「あの感じ」って書くしかないものを、「あの感じ」のままやりとりできるのは、ものすごいことで。音楽をやっていて思うのは、身体が感じたフィーリングみたいな、感情のようなものって、たぶん速度が一番速いってことなんですよ。「いま、俺は感動してる」って思う前に、鳥肌がバーッと立つ。うわー！　みたいな。そういう順序なので、「楽しい」とか「悲しい」とかそういう名前をつける、言語化する時間があると遅いなって思っちゃう。

でも、最近腑《ふ》に落ちたのが、『胎児のはなし』（ミシマ社、二〇一九）っていう本を読んだんですけど、赤ちゃんがお腹のなかで笑ったり泣いたりするって書いてあったんですよね。でも、彼らは、「楽しい」とか「悲しい」っていう感情を言葉として所有していない。「楽しい」とか「悲しい」っていう言葉は、要するに文化的にあとづけされたものなんだって。さまざまな感情とか感覚に、これまでに生きた人たちがいろいろな名前をつけてきた歴史があって、いま僕たちはそういう概念として捕まえているんだけれど、本来は、名前なんてないんじゃないかって思うことがある。でも、まだ言語化できるかもしれないフィーリングっていうのが山ほどあるようにも感じる。音楽の場合はそれを、言葉にしないでごそっと持ってこれちゃう。

光嶋　なるほど、それは面白い感覚ですね。「文化的」と言いましたが、それは僕たちが人間としてもって生まれた言語以前のもっとプリミティブな感覚なのかもしれませんね。

後藤　だから「美しい」でも「楽しい」でもない、なんて呼んだらいいかもわからないものにアクセスできる音楽をつくりたいと思っています。

本来実線のないものに実線を引く

光嶋　ゴッチさんは、ミュージシャンだし、普通に考えたら「耳で思考する」というふうに思いがちだけど、視覚障がい者の方には、聴覚に秀でたなにかがある方が多いように、意識を少し耳からずらすことで、いまおっしゃった「ごそっと感情にアクセスできる」かもしれないという話は、とても示唆的ですね。そもそも、ゴッチさんのエッセイ『凍った脳みそ』（ミシマ社、二〇一八）にもそうした感覚を事後的に言語化したような不思議な表現って多いですよね。

　ゴッチさんのボキャブラリーは、定型的なフレーズを超えていく自由さがある。きっと思考のなかに閉じこもりがちな言葉を一気に遠くの外部性へと接続させるからなんじゃないかなぁ。だから僕は逆に建築を考えるときに、音楽という外部性にアクセスすると、世界が違った見え方をすると感じられるのかもしれません。

後藤　光嶋さんのドローイングを描いている感じこそ、僕にとっての言葉を書いている感覚に近いんじゃないかと思いますね。つまり、世界を特別な方法で写実しようとしていると思うんです。だって本来、建物とか、なんでもそうですけど、実線ってないじゃないですか。

光嶋　そうなんですよね。なにかを描くのは、世界のことがもっと知りたくて、「このように世界を見ています」ということを表明するために描いているところがある。実線を重ねることで世界を自分のなかから再構築する。だって、そもそも視覚的に見えている輪郭線ってものは、実際には存在しませんからね。

後藤　そうですよね。

光嶋　人間の顔を描くにしても、本当は輪郭線ってのはなくて、すべて面から構成されています。表面として存在するものが、背景にあるものとの対比によってたまたま線に見えているにすぎない。

後藤　そうそう。本来実線がないものに実線を引いていく、みたいなことが、言葉で書くということなんじゃないかと。だから無理くりやっているところもある。でもなんか、恐ろしく正しいと感じるときもある。それはすごく不思議。

でも僕は、書くという行為はめちゃくちゃ速度が遅いと思っています。思ったことは思ったときにあって、音楽はそれと一緒に先にパーンって飛んでいくので。それに比べたら本当に遅い。曲づくりでも感情やフィーリングが先にある。でも、それってすごく大事で、それをちゃんと感じられる人間でありたいなっていうことが、さっき光嶋さんが言った皮膚感覚っていうところとリンクすると思う。これは本当にね、コンサートの現場でもよくあって、バンドのメンバーの精神状態が、鳴らす音だけじゃなくて、空気でわかったりする。

光嶋　スタジオでのバンドメンバーとのコミュニケーションが言葉よりも、皮膚感覚として成立しているということですか？

後藤　スタジオというか、ステージの本番前はみんな談笑してるんですよ。今日は楽しくやろうよ、みたいな感じで。今日は全肯定の気持ちでやろうよ、みたいな話とかもするんだけど、自分の場所について演奏がスタートしたら、誰かが緊張してたり変に興奮してたりするのがよくわかるんですよ。それが自分の場合もあるかもしれないけど。

光嶋　普段通りの演奏になっていないのが皮膚感覚としてすぐに伝わるものなんですね。

後藤　そう。でもそれは音符のタイミングがどうとかじゃなくて、漠然とわかるんです。で、それがまた伝染していくのもわかる。

光嶋　ひとりが緊張しちゃうと、みんながなし崩し的な？

後藤　誰かが緊張してたりすると、全員一回ずつ些細なミスをして、それが回っていくみたいなことが起きる。不思議だけど、やっぱりメンバー間で伝わっているなにかがあって、そういうものが観客とのやりとりのなかでも絶対に存在するんですよ。音だけじゃないやりとりがあると感じる。だから、海外のバンドの来日公演に行って、なんかちょっとナーバスな感じではじまったのに、観客がめちゃくちゃ盛り上がって、会場全体の空気に包まれるようにバンドの演奏がどんどん良くなる、みたいなことが起きると気持ちいい。めちゃくちゃ幸せな気分になる。

音楽と脳内風景

光嶋　自分のなかで、ある音楽的な響きというか、それを感じながら描いているときが一番なめらかに筆が走ります。振動を共有している心地よさみたいな。その振動を感じているのは、もちろん皮膚感覚として感じていて、そんなときは、テンションが高く、時間を忘れてずっと描いてられるんですよ。

後藤　光嶋さんは音楽を聴きながらドローイングするっていうじゃないですか。僕は、たとえば、音楽を聴きながら読書はできないんです。音や言葉を追っかけちゃうから。脳を分割できないんですよね。だから本を読むときは音楽を聴かない。というか、音楽を聴きながら本読みましたとか、読んでる人とかはもう超人だなと思うし、そこに興味があります。絵を描くときって頭のなかで言葉を取り扱ってないんですかね？

光嶋　はい。言葉は一切取り扱ってないですね。だから僕の場合は、音楽といってもジャズが多いし、歌詞のある音楽をかけていても絵を描いているときは言葉が全然聞こえてこない。右から左へ流れていくというか、自然とシャットアウトしているんじゃないかと思います。

後藤　あー、やっぱりそうなんだ。

光嶋　洋楽だろうが、邦楽だろうが、なにを言ってるかは聞こえてこないですね、まったく。BGMとして音とリズムだけが心地よく流れていて。もしかしたら、それは時間の道しるべというか、描いているときに時間の流れを体感するためだけの音楽なのかもしれません。見たくないものは、目をつぶれば見えなくなるし、そもそもなにかを見ているときだって、じつのところ、見たいものしか見ていないように思うんです。対して、耳は閉じることができない構造になっている。だから原理的には聴きたい音だけを聴くってことができないはずだけど、別のことに集中したりして音から意識を外すと、視覚におけるピントがボケるように、入力された音の情報を受け流すことができるのかもしれません。むしろ、僕はキース・ジャレットやブラッド・メルドーのピアノ演奏をライブで聴いていると、ぼんやりと風景が見えてくることがあります。

後藤　めっちゃかっこいいこと言うじゃないですか。

光嶋　僕は好きなジャズを聴くときも、生演奏なんかは、基本的に目をつぶって視覚情報をシャットアウトし、音に深く集中していると、脳内風景が浮かぶんです。

後藤　それは、演奏の風景ってことですか？

光嶋　いやいや、違います。

後藤　えっ、違うの、街ってこと？

光嶋　そう、そう。街というか、むかし見た風景だったり、頭のどこかから引っ張り出されてきた風景が見えたりします。

後藤　それは、個性的だと思いますよ。

光嶋　ホントですか？

後藤　僕なんか、シンバルのチーンチーンとか、ドラムを叩いてる姿とか、楽器とかの絵が浮かぶ……。

光嶋　それは、逆に僕の場合まったく出てきませんね。

後藤　どういう編成なのかとか、録音の方法だとか、そういうことは思い浮かべますけど、ニューヨークの街がバーンってことはないですもん。

光嶋　ニューヨークの街というより、移動している風景が多いですね。電車からの車窓というか。音楽というものが時間を内包して流れているので、必然的に脳内風景も動いていることが多い。

後藤　へえ、そういう結びつきって新鮮。

光嶋　いい演奏のときは必ずといっていいほど、見えますね。だから、脳内風景は、僕にとって良い演奏のバロメーターになっています。つまり、自分の身体感覚を演奏しているリアルな空間から違ったどこかにポンと跳躍《ちょうやく》できる楽しみがライブにはあるんです。

後藤　不思議なことに、僕が一番いい演奏、いい歌を歌っていると感じるときって、言葉のチャンネルがオフになるんですよ。

光嶋　えっ、言葉としての歌詞を歌っているのに？

後藤　はい、厳密には、歌詞なんて覚えていないんです。ライブで僕が歌詞をよく間違えることとは置いておいて、オンステージのときは自動操縦みたいになるんですよ。

光嶋　へえ、じゃあ、「あの娘がスケートボード～♪」とか歌っているときって、別にスケボーに乗っている感じを実際にイメージしたりしないんですか？

後藤　うん、しない。だから、歌おうとも思っていなくても、勝手に歌っているみたいな感じ。演奏しながら、違うことを考えたりもできるんですよ。

光嶋　面白いなぁ、グッと意識を集中してると、逆にふわっとオートマティックになっていくのか。僕は絵を描いているときはどっぷり絵の世界に入っちゃってる気がするなぁ……。

後藤　でも、一緒にメンバーが演奏しているんで、そこに乗っているというところはある。流れはあるので、それに乗っちゃえば勝手に出てくるんですよ。乗ってないと言葉に詰まる。

光嶋　なるほど、サーフィンの波みたいなもので、それを知覚して乗ってるとやっぱり気持ちいいんですか？

後藤　気持ちいいですね。一生に何回もないんですけど、ずっとそういう状態でいられるライブってあるんですよね。一番いいときは、ただ真っ白になる。

光嶋　その感じは、最初から最後まで持続するものですか？

後藤　最初から最後まではないんだけど、どこかで入っていったら真っ白になる。強烈に覚えているのは、フジファブリックの金澤君が参加してくれたツアーの京都公演。もう、完全に真っ白でしたね。なにも出てこない恐怖の真っ白ではなくて、「俺は神か」みたいな真っ白なんですよ。

光嶋　一種の全能感？

後藤　なにを思わなくてもただ幸せなまま演奏が進んでいく。

光嶋　それって、オンステージの演奏者たちとの相互関係で生まれるものなのか、それとも個人の主観的ななにかなんでしょうか？

後藤　全部だと思いますよ。なににも捕まっていない感じ。いつもはなにかに捕まるんですよ。二番の歌詞なんだっけ、みたいな自我が出てくるんです。

光嶋　でも、それって流れのなかで、ずっと変わり続けるわけでしょ？

後藤　うんうん。あいつの演奏変だぞ、みたいなことも瞬間的に考えたり。そういう雑念にもよく捕まります。捕まらないときは真っ白なんです。

光嶋　その浮遊している感覚が光を全身で浴びているような「真っ白」の状態というのが、とても興味深い。真っ白は、崇高な感じもしますね。

後藤　そうですね。僕は音楽をしているとほかのことができない場合が多いので、できる人が羨ましいんですよ。音楽を聴くだけのときは、どうやって録ったのかなとか、つい音を追いかけていっちゃうので。

光嶋　それでいうと、僕は、建築を見るとどうしても建築的に考えちゃいますね。しかも、視覚情報が中心にあって現実から逃れられないから、「真っ白」な状態になることってありませんね。

音楽言語がブレイクスルーするとき

光嶋　話を建築と音楽の創作に戻すと、言語にするより先に感情がある、そのゴッチさんの感覚から、国境を超えうる音楽というものの性質が見えてくるような気がしました。つまり、それは人間としてわたしたちが古代よりもっているある種の音のアーカイブみたいなものに直接アクセスすることができる手応えみたいなものがあるからかなあ、と思ったんです。日本人が古典芸能にアクセスすると、たとえば能を見に行くと、能をやったわけではなくても、どこか日本人のなかに連綿と流れ続けている文化的なアーカイブの海に飛び込んでいるような感覚がある。ゴッチさんにとって、そういう言葉にならないとても純粋で、プリミティブななにかを身体を通して音楽に変換していくさまざまなトライアルのなかには、ある種の歯がゆさみたいなものってありますか？　たとえば、もっと言葉にはできない、音楽にしか表現できないなにかを探している？

後藤　どうなんでしょうね。でも、最近世界中でラップミュージックが流行っていて、音楽における言葉というものが見直されているところがあります。言葉が音楽にもたらす地域的な訛《なま》りも楽しまれるようになっている。それに合わせて、新しいサウンドが開発がされているようにも感じます。それが音楽的に「新しい言語」をつくっている感じがしますね。

光嶋　それは、ラップされている歌詞というか、言語としての言葉そのものの話ですか？

後藤　いや、発語も含めた音ですね。ビートルズがビートルズみたいな音をつくったら、それはビートルズの音というかたちで概念化されて、記号化して僕たちは取り扱いはじめる。ビーチ・ボーイズもしかり。新しいものが出てきたら、みんな「おっ」てなるんですよ。最近で言えば、ビリー・アイリッシュ。なにもかもやり尽くされたような時代に、完全に新しいなにかを生むことがだんだん難しくなってきているところで、そういう種類の音楽的な言語が開拓されている。

光嶋　そうした音楽的な言語が飽和して、枯渇することってあるんですかね？

後藤　そうしたサウンド側の音楽言語は、テクノロジー的なブレイクスルーが起きないと進まない気がします。彼女の力はもちろんだけど、すごく低い音をコントロールできるようなオーディオや機材や、音楽を聴くデバイスの進化があって、その土台の上でビリー・アイリッシュが出てきたと思う。

音楽的な言語の開拓っていうのは、それぞれがつねづねやっているんですよ。世界的な新しさとは別の、自分たちのなかでの細かい、使ったことのない音楽的な言語というのがあって。それを感じられなかったら、新曲をつくりたくないとすら思っている。自分たちにとって新しい音楽的な言語を新しい作品には使いたい。それとは別に日本語を使ってなにかを写実していきましょうというトライアルがあります。歌詞の話で言うと、適当に言葉をばら撒いていって、韻に頼って、ランダムに出てきた言葉に乗っかることで、意味自体が広がるやり方もある。

光嶋　技術的側面と、そこにランダムな予測不能なバグが入ることで音の意味が広がるっていうのは、興味深いですね。そのときに聴いていている受け手が、さっきゴッチさんが言っていたみたいに真っ白な状態になり、どこにもつながっていないふわふわした気持ちいい状態になることが、音楽を享受するひとつの理想的なあり方のように思いました。

後藤　そうですね。言葉以前のなにかを、まずやりとりしているっていうのはありますね。

民族の古層へ
「音」でダイブする？

後藤　でもやっぱり人間だから書きたいという欲求も同時にある。言葉というのは基本的には、

後藤正文（ミュージシャン）　8.27.19 @銀座蔦屋書店

「音楽と建築について」
〜皮膚感覚で思考する〜
（不可視）

脳　心

◎見えない → 時間

音

つくりたい気持ち
欲望するのか…

○誰のための音楽

有用 — 役立つ／
無用な芸術・文化

AIの音楽？
可能

集団　孤独をかかえる
バンドと個

空間／空気
同化する

ライヴ　幸せな時間／共有
つくる喜び　可能
↓
「何かをつくりたい」

エネルギー
一体間

身体性 ← 分からない
自由であること

時代性
歴史との接続
無意識｜入力
ストック　直観
インスピレーション

想像 —— 創造
好きだから…
○表現すること　楽しいから…　決定力
判断

書かないと分からない
分からないから書く　発見

内面　心　詩（ポエジー）—— 技術
物語の力

他者性
自分の外部に出ること
偶然性

コントロール
予測不可能

（2種類）新しさ　本質
自分にとっての新しさ／全く新しい何か
シンギュラリティー

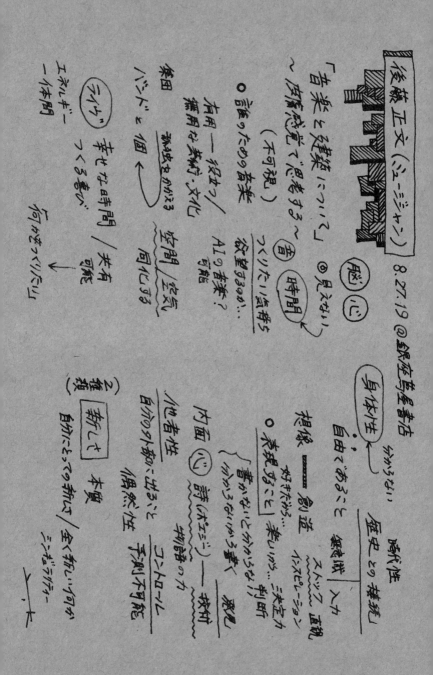

どうやってそういった曖昧なものを僕たちは記述してきたのかという歴史でもあると思うんですよ。「日本人はこう書いてきた」っていうところに日本が詰まっているというか。だからそういう歴史と接続しながら、もっと面白い表現方法もあるんじゃないかっていうのは、いろんなところで詩人だったり、小説家だったり、そういう人たちがやっている。僕も同じように挑戦してみたいなと思っているんだけど、音楽がそれを助けてくれるところがある。書いてることとは違うけど、発語した音がもっているというか、言い方とか歌い方になにかが宿っている。言葉では書き切れないから、どっちかというと僕は音を信用している側ですね。どっちかを取りなさいと言われたら、やっぱり音かなあ。

光嶋　音という感覚からダイブしていくと、まったく予想もしない場所に触れられるのかもしれないということで言うと、小林秀雄が『無常といふ事』（創元社、一九四六）のなかで「鎌倉時代を思い出す」ということを言っています。じかに見たわけでもないのに「鎌倉時代を思い出す」っておかしいですよね。でも、いまの話を聞いていると、音っていうのは、鎌倉時代よりももっともっとむかしからずっと存在していて、わたしたちの身体が堆積した地層のように音を記憶していると、考えることもできる。ホモサピエンスとかが音を鳴らしていたはるか太古のむかしから音楽的言語ってあるわけじゃないですか。ゴッチさんが音を信用するってことは、もしかしたら、そうした人間の深層というか、どこか人類史的な遠い記憶のそばにいたいってことなんですかね？

後藤　どうなんだろう。それってすごく難しいな。でも、それで言ったら、たとえば、仏像展を見に行っても、鎌倉時代の仏像が全然わからないですけどね。土偶は「わかるわぁ」という感覚があるんです。僕は飛鳥時代や奈良時代の仏像が好きなんですけど、それは捧げている方向になんとなくシンパシーを感じるんですよ。鎌倉の仏像とは、芸術性というか宗教性として捧げてる向きが違うと感じる。鎌倉だと、どこかイキってるなって思っちゃう。

光嶋　そういうのは、網野善彦《あみのよしひこ》さんの影響ですか？

後藤　いや、これは僕が素朴に感じたことです。鎌倉仏教って禅のイメージがあるけど、仏像はすごく威圧的に見えてくるというか、力強さを表すためにつくってたんじゃないのって感じるんですよ。ホントただの素朴な感想なんですけど。

光嶋　へえ、面白い。

後藤　ミュージシャンってこういう素朴なこと言うんですよね。良くないですね、ちゃんと文献引かないで。でも、言葉にできないやりとりの面と、言葉でしかやりとりできない面があると思うので。自分は言葉や詩を書くけど、歌も歌っているし、ノイズやアンビエントもやるから、そういう意味ではどっちの方向もわかるし、どっちからも見ないといけないと思っています。フォルムとか意匠に宿る思想もあるし。

光嶋　いや、そうした多面的で自由な感覚をもって創作に向き合う姿勢って、僕はとても健全な知性の使い方として、すごく共感します。先の小林秀雄のように、自ら体験したわけでもないのに、ありありとその状態が想像できることって、自分自身を拡張するための格好の機会だし、なにかをつくるうえですごく大事な感覚だと思うんです。

いま「新しさ」とは

光嶋　さっきの技術の話の延長として、現代においてなにかを表現すること、なにかをつくることについては、どう感じていますか？

　つまり、クライアントのために建築家が建築をつくるように、音楽はいったい誰のためにつくっているのでしょうか？

後藤　難しいですね。現代の音楽的表現について思うのは、インターネットのおかげで、すごい変化があったなぁ、ということ。ミュージシャンの演奏がめちゃくちゃ上手くなったと思います。ネットのおかげで「上手な演奏」に接続できるようになった。若い頃は、どういうものが「上手な演奏」なのかって、よくわからなかったんですよ。「上手な演奏」を見る機会がなかなかなくて。映像作品もそんなになかったし。新宿の海賊盤屋とかに行って、はじめて伝説のライブを見るとかね。YouTubeとかのおかげで、いろんな演奏がアーカイブされるようになって、どんな演奏が上手なのかを簡単に知ることができる時代になったんです。それはホントにすごくいいことで、パッとなにか新しい手法が生まれたら、一瞬で世界に広がる時代というか。

　そういう素晴らしさもあるんだけれども、逆に、いまは演奏が上手くなかったらやっていけないのかもしれない。若い子たちは演奏が上手くて、個としていろんなバンドに参加したり呼ばれたりして、集団で音楽をつくってるところがあって。バンドより大きなグループで創作のコミュニティをとらえてるように感じるんですよ、コレクティブというか。僕たちの時代は、バンド人と知り合うツールが限られていたから、バンドの関係っていうのはすごく狭いコミュニティーできあがっていて、その代わりすごく濃かった。下手だけどバンドじゃないとできないことを必死に探して、そうじゃなかったら勝ち抜けなかった。

光嶋　現代《いま》は演奏技術という、ひとつの基準がどっしり創作の土台として存在する。そこが絶対的に音楽の領域を底上げしたが故に、ふるい落とされちゃうものもあるんですかね。

後藤　シグネチャーを獲得するのが難しくなっていると思うんですよ。すぐなにかに回収されちゃう。音楽のアーカイブは山ほどあるから、誰かのなにかに似ているだろうって、そこに回収されちゃったら抜け出せない。ただ、僕はある意味でシグネチャーは呪いでもあると少し思っていて。自分が歌うと自分の歌になっちゃう感じというか。スピッツの草野マサムネさんや奥田民生《たみお》さんもそうだと思うんだけど、「あの感じ」になっちゃう。そういう身体に由来した、「この顔」みたいなものというか、名前がはっきりと書かれちゃっている声なので、難しさはあるけれども、ある種それで幸せだったなと思うところもあるんですよね。

光嶋　そんな個としての顔とともに、ゴッチさんは、ソロ活動をやりながらも、バンドのことを船に喩《たと》えたりしますよね？

後藤　僕がアジカンっていう船をずっと操縦し続けることに対して、若い頃にはいろいろな葛藤があったんだけど、いまはこれでいいんだっていう気持ちと、でもずっとこのままじゃダメだっていう気持ちの両方があるんですよね。ただ、やり続けることで、打ち立てられるものもあって。自分たちらしいなにかを打ち立ててはじめてアーティストとして形になっていくというか。坂本龍一さんが本に書いていたのか、会ったときに直接聞いたのか忘れたんですけど、基本的に欧米だと、そこが勝負なんだよねって。

自分の名前で打ち立てた個性というか。楽曲のメロディとか、音色とか、ピアノ弾いただけでも、すぐに「あー、坂本龍一だ」ってわかるわけじゃないですか。そういうのが曲や音にちゃんと書いてあるかないかっていうのが、アートをやるということにおいては、ひとつの勝負だと思うから。それはとっても大事なことではあるんですけど、やっている本人としては、同時に世間が思う自分のイメージから離れたことをしたい。なにをやっても「どうせあの感じでしょ」と思われてしまうかもしれないから。

光嶋　なるほど、船を操縦しながら個としての顔もアップデートする回路を模索するってことなんですね。自己模倣を避けつつも、シグネチャーを獲得するための方法を自ら探し続けないといけない。自分という殻をどうしてもつくっちゃうけど、それを壊しては、またつくることを繰り返す。自分をつくり変えるためには、いかに外部性と接続できるかが鍵なんでしょうね。僕は建築設計においても、ドローイングにおいても、文章においても、つねに自分という殻を破りたいと思って創作し続けています。

後藤　そうですよね。それぞれにとっての「新しさ」がどこにあるかということかなあ。

光嶋　僕は経験を積むことで成熟したいし、経験が邪魔にならないように、いつも自分にとっての新しさを更新したい、という気持ちでいろんなことにどんどん挑戦しています。とはいえ、果たして、それが歴史的に見て本当に「新しい」かというと、それはまた別の話じゃないですか。それをどうやって客観的な自分を冷静に俯瞰して見られるかということが大事になってくる。埋没していたら見えなくなるし、離れすぎると現状にどこか甘んじてしまう。この俯瞰と没頭の行き来のバランスをたいせつにしたいと思っています。

後藤　たしかに難しいですね。僕は「新しさ」なんて、テクノロジーがもってくるものだと思っているところがある。楽器ひとつで音楽って新しくなっちゃったりするから、機材とか。

光嶋　ゴッチさんにとって、そうしたテクノロジカルな「新しさ」は、優先順位が高くない？

後藤　そうですね。でも、テクノロジーによる「新しさ」も好きです。ただ、自分のなかにあるポリシーみたいなものはあって、どうやって言語化するかというところは、技術でしかないと思っている。テクノロジーがあっても、技術がなければ表せない。だから技術はずっと磨かなくちゃいけないと思う。思っていても書けなかったらしかたがないし。だから楽器の練習はしないといけなくて、音楽や機材のことも勉強しないといけない。一方で、皮膚みたいなところは磨こうと思っても簡単に磨けるようなものではないですよね。もっと複雑な成り立ちだと思う。

ポエジー貯金

光嶋　それが今日のテーマでもある「皮膚感覚」というところにつながってきますね。機材に対する知識とか経験というものがちゃんとストックされていけば、個別のアーカイブになるわけだけれども、そうした情報のそもそもの入り口、あるいは、センサーというのは、結局は自分自身の身体ですよね。そして皮膚感覚って、つまりは、自分と外の世界との最大の接触面であり、とりわけ、どのように皮膚感覚を研ぎすますのかっていうところがやっぱり難しい。

後藤　そうなんですよね。でも全部につながっていると思うんですよ。生活のなかのことは、全部つながっている。なにを食べるかとか、なにを選ぶかとかも含めて。

光嶋　創造行為についても、すべてがつながっているというのは、本当にそうですよね。僕は、音楽からもらえるなにかを建築やドローイングに無意識的に変換しているのかもしれない、と思っています。いまでこそいろんな経験を積んだから「こういう意図で描いています」ってドローイングを言語化できるようになった部分も多少はあるかもしれませんが、やっぱり根底には、どこかよくわからない感情的なもの、言葉にはならないなにか、あったかもしれない風景みたいなものをずっと探しているんだと思います。

後藤　それは、たぶん自分ではわからないけれども、なにかを出し入れしている。ポエジー貯金みたいなのがあると僕は思ってて。

光嶋　ポエジー貯金？

後藤　そう。アルバム一枚つくるとポエジー貯金が空っぽになったりするんですよ。もうなにも出てこないなって。そしたら、本当に簡単なんですけど、海外ツアーに行ったり、休みをもらって旅行に行かせてもらったら、創作のイメージが戻ってくる。でも、自分では、なにが自分のなかに貯まったのかよくわからない。

光嶋　そうした無目的な旅を通して自分の外の世界を無意識的に広げることで創造のためのエネルギーをスポンジのように吸収しているんでしょうね。このスポンジの吸収力が、皮膚感覚と深く関係していると思うんです。だから、ポエジー貯金をちゃんとしていたら、別にギリシャ神話のように目をつぶして盲目になんてならなくてもいい。

後藤　そうですね。新しいなにかを吸い込むことって大事。

光嶋　そのときに、きっと二種類の「新しさ」があって、自分というスポンジにとっての新しさと、俯瞰した視点から見た歴史的な新しさというのがある。これらを見極めるためにも、身体感覚を総動員して、先に述べた没頭と俯瞰を繰り返すしかない。ただ、数値化できてわかることと、直感的にしかわからないものを頼りにしていると、つねに両義的なところで、どうしても宙ぶらりんになっちゃう。だから本質的な新規性にとらわれすぎないで、自分にとってのささやかな新しさを大事にして創造し続けていくしかないと思っています。

後藤　でもえらいなぁ。そうやって考えてロジカルにちゃんと伝わるようにするところが建築家っぽくて感動しました。

余韻

奇跡のような小さな
記憶の断片を思い出す

昨夜の対談で刺激された脳は、寝ているあいだもわたしの頭のなかの棚を整理整頓しようと、必死に情報処理を続けていた。それだけたくさんのヒントをわたしは昨夜のゴッチさんとの対談から受け取っていたのである。

気持ちのいいライブで「真っ白」な状態にホワイトアウトする全能感があるということがすごく印象深かった。何千人ものオーディエンスと一体となるようなステージ上の快感を、建築家のわたしが実際に感じるような経験をすることはないかもしれないが、想像することはできる。そのときの身体感覚として鍵になるのは「同化的」であることではないか。つまり、自分の置かれた環境と自分の身体との境界面を可能なかぎりなくすことができれば、外の環境が自分のなかにジワジワとはみ出して溶け込んでくる。それと同時に、自分がまわりの環境へと洩《も》れ出していく相互作用が起こる。

それは、子宮内の胎児と母親の関係にも似ている。もちろん記憶にはないけれど、わたしも十月十日《とつきとおか》のあいだ母親の胎内にいたから自分と外の環境が未分化であるという、最高に気持ちい状態を想像することはできる。この世界と未分化である状態は、内田樹先生が合気道のお稽古でよく引用される沢庵禅師の『太阿記《たいあき》』の冒頭にある次の一節とも強く共鳴する。

蓋《けだ》し兵法者《へいほうしゃ》は勝負《しょうぶ》を争《あらそ》わず、強弱《きょうじゃく》に拘《かか》わらず、一歩《いっぽ》を出《い》でず、一歩《いっぽ》を退《しりぞ》かず。敵《てき》、我《われ》を見《み》ず、我《われ》、敵《てき》を見《み》ず。天地未分《てんちみぶん》、陰陽到《いんよういた》らざる処《ところ》に徹《てっ》して、直《ただ》ちに功《こう》を得《う》べし（蓋兵法者 不争勝負 不拘強弱 不出一歩 不退一歩 敵不見我 我不見敵 徹天地未分陰陽不到処直須得功）

武道の心得を説くこの言葉は、穏やかに自分を観察する眼をもつことのたいせつさを教えてくれている。心の眼がとらえるものは、目から入る視覚情報のそれとは違う。見えている世界、聞こえている世界、感じている世界がすべて自分と同化している「真っ白」な状態になれば、言葉で理解している感情よりも素直に、深く豊かな快感にアクセスできるのではないだろうか。真夏の太陽の光を燦々《さんさん》と浴びるように。

また、音楽を奏でるのに耳を澄ますだけでなく、皮膚感覚をひらくことで世界と対立しないで、空間と同化し、一体になれるとしたら、どれほど心地の良いことだろうか。その流れでふとゴッチさんと「音楽を聴きながら目をつぶると風景が見える」という話になって盛り上がった。けれども、逆に建築空間に入って脳内で音楽が自然と流れてきたらどれだけ素敵なことだろうと思った。と、自分でここまで書きながら、思い出したことがある。

二十歳の夏のある日、空には雲ひとつない、澄み渡るかぎりの快晴だった。出発前に日本で買った新しい赤いTシャツも、毎日着てるとずいぶんヘタレてきていた。憧れの建築家ピーター・ズントーがスイスの山奥に設計した教会を見に行く旅に出たときのことである。その数カ月前に本屋で建築雑誌の表紙になったその教会を見たときに胸が躍り、「ああ、この場所に行ってみたい」と思って、すぐに行動した。

買った雑誌に穴が開くほど見た葉っぱの形をした小さな《聖ベネディクト教会》に足を踏み入れた瞬間、わたしはその空間の圧倒的な美しさに身体が硬直してしまった。うっとりしてしまい、まったく動けなくなったのである。高い天井を舐《な》めるように呆然と眺めていたら、突然、バッハの《ゴールドベルク変響曲》が脳裏に静かに流れてきた。タンタン♪タラララッタ♪タンタララン♪、それもごくごく自然に、わたしだけにささやくように聴こえてきたのである。柔らかい光に包まれた教会内にバッハの優雅な旋律がたしかな音楽の粒子として、ありありとわたしの心に沁《し》みわたるように響いてきた。それも、敬愛して止まないピアニストのグレン・グールドが最晩年に収録したおっとりするようなフレーズが静謐《せいひつ》な空間と見事に共鳴し、美しく聴こえてきたのである。
もしや、幻聴だったのか。自分で鼻歌を歌うのではなく、あのように空間のなかに身を置いた瞬間になかば自動的に音楽が湧《わ》き上がるようにして流れてきたのは、あれが最初で最後である。あのときわたしは、バッハの音楽の助けを借りて、ズントーがつくった教会と未分化の状態にあったのだ。すっかり空間と同化していたのだと思う。物質として木の柱やガラスの窓とは別のしかたで、優美な光の空間と交じわり、心を通わせていたのである。とても気持ちのいい、流れる時間をつい忘れてしまうような感動体験だった。

作曲家でピアニストの高橋悠治《ゆうじ》は、「縁起の楽器」と題した随筆のなかで、音楽の音と空間と時間の関係について、次のように書いている。

生まれた音がどこにあるのか、空間のなかのどこか、
時間のなかのどこか、指し示したときには音はそこにはない。
むしろ、生まれつつある音が
それとともにある空間と時間の意識をつくりだす。

音をはなれて絶対的な空間と時間があり、
その空虚な枠のなかに音が生まれてくるわけではない。
『きっかけの音楽』（みすず書房、二〇〇八、二〇－二一頁）

やはり、ある空間を体験したひとが時間の流れを感じるうえで、音楽の果たす役割は大きい。昨夜のゴッチさんとの対話も、こうして二〇年以上も前にわたしの身に起こったスイスでの奇跡のような時間を想い起こさせてくれたのである。わたしのなかに埋もれていた小さな記憶の断片をゴッチさんと語らうことで発掘することができた。言い換えると、それは昨日のわたしと今日のわたしが少しだけ違った人間になっているわずかな手応えのようなものなのかもしれない。自分の価値観を少しでも更新するというか、ゴッチさんの言葉にわたしが共感したことで、つながった記憶の細い糸のように思えてならない。じつのところ自分のなかに眠っていたいまだ知らない自分を引き出してくれたのである。

昨日は、一〇〇人を超えるオーディエンスの方々から真剣な眼差しが向けられていた。たしかな皮膚感覚として、なにかエネルギーのようなものをわたしはビシバシ感じていた。その空気も手伝ってか、まるでゴッチさんと一緒にデュエットでも歌っているかのような高揚感に包まれた愉快な対話となった。

ゴッチさんと話していると、ポエジー貯金をしているようでいつもハッピーな気持ちになる。それは、紛れもなくゴッチさんからの贈り物である。もっと言うと、それは、わたしの根っこにある「なにかをつくりたい」という根源的な欲求を焚きつけるのだ。

第2章

集団で思考する

高く そびえ立つ 師との対談前夜

本を読むと世界が広がる。それは自分のなかに図書館をつくっているような感覚だ。自分図書館の蔵書がわたしの考えるきっかけになっている。本を読むということは、著者の世界観に読者がどっぷり浸ることでもあるが、なにより読者が著者と一緒になって「考える」ということなのではないかと思う。そんなわたしの自分図書館の特等席にはいつも武道家で思想家の内田樹先生がいた。そしてなんと建築家としてのわたしの処女作となった《凱風館》のクライアントこそ内田先生なのである。自慢ではないが、まさに嘘のような本当の話。先生とのご縁は、『ためらいの倫理学』（冬弓舎、二〇〇一）という一冊の書籍からはじまった。

学部三回生のときのこと。放課後に友人たちと麻雀をした帰りに高田馬場にあった小さな本屋さんにふらっと立ち寄ると、美しい抽象絵画が窓のように散りばめられた装幀のカバーと目が合い、自然とその本を手に取っていた。その装幀の絵を描かれたのが、山本浩二《こうじ》画伯であった。

幼い頃から絵を描くのが好きで、将来は画家になりたいと思っていたわたしは、そのわずか数週間前に大学の設計演習という授業で、はじめて生身の画家である山本浩二画伯と知り合う機会を得た。この幸運のはじまりは、モダニズムの礎《いしずえ》を築いたドイツのバウハウス教育を模した授業にある。学生たちが作品を即興的につくって講評するという形式で行われた、その授業に山本画伯が講師として来られたのだ。ピカソとブラックを題材にして、キュビズムについて講義されたのが、とにかく最高に面白かった。九〇分の授業が休憩を挟んで二コマ。その間、画伯の話す言葉を一言一句逃すまいとずっとアドレナリンが大量放出する三時間だった。

プロの絵描きとして作品を生み出す画伯の切実な言葉には、すごい熱量があり、ずっしり心に響いた。自らの実践に裏づけられていると、思索と創作に筋が通り強度を感じる。芸術の本質というものがビシバシと伝わってきた。あまりにも面白かったので、授業が終わってからも教壇に駆け寄って、ずっと画伯と話し込んでしまった。いま思えば、さぞ暑苦しい、ずいぶん迷惑な奴だと思われたかもしれないが、あのときのわたしのハートは熱く燃えていた。この小さな出会いが、のちにわたしの人生をこれほど大きく変えてしまうものになるとは、そのとき夢にも思わなかった。

話を戻そう。そんな山本画伯の絵がパーンと目に飛び込んできて、『ためらいの倫理学』という一冊の思想書をジャケ買いしたのが、運命のはじまりの細い、一本の糸である。夢中になってその本を読んだ。そこに書かれていた内田先生の切れ味鋭い言葉たちに、なにか頭でもパンチされたかのような衝撃的読書体験。わたしは赤の色鉛筆片手に、気になる箇所を片っ端からガリガリ線を引きながら読み進めていった。

冒頭でいきなりのスーザン・ソンタグをスパッと批判する箇所にもしびれたが、戦争について、性について、物語について、とにかくその内容と語り方の虜《とりこ》になり、あとがきにも先生が書かれているように「自分の正しさを雄弁に主張することのできる知性よりも、自分の愚かさを吟味できる知性のほうが、私は好きだ」（二五九頁）というフレーズに強く共感した。なんだか内田先生の本を読んでいると、あたかも内田先生と一緒に考えているような嬉しい錯覚が芽生えてくる。以来、本屋さんで内田先生の本を見つけては読み漁《あさ》り、友人たちに内田先生のことを頻繁に語るようになっていた。すっかり熱烈なファンである。

次から次へと面白い本を出されていくなかで、大学院を修了してからドイツでの四年間に及ぶ建築家としての修行期間（その間も、先生の本はよく日本から取り寄せて愛読していた）を経て、東京に帰国した際に手に取ったのが『日本辺境論』（新潮新書、二〇〇九）である。これまた、目から鱗《うろこ》がパラパラ落ちた。海外生活の長いわたしが抱く日本文化に対する知見を掘り下げてくれて、面白かった。こういうときわたしは、その内容を誰かと共有したい、あぁ話したいと、居ても立っても居られなくなる気質で、久しぶりに山本画伯に電話した。

ベルリンからミラノに遊びに行って以来、数年ぶりの電話だった。

予想はズバリ的中し、山本画伯も内田先生の最新刊『日本辺境論』をすでに読んでいて、あれこれと感想を交わしたあとに、画伯と先生が中学時代からの幼馴染《おさななじみ》（正確にはSF文通仲間）であることを知る。世のなか、面白い友だちの形態というものがあるもんだと感心していたら、画伯が電話越しにわたしの掛けていたグレン・グールドの音楽（ブラームスの《インテルメッツォ》を弾いた名盤）を聴き当てた。画伯もよくグールドを聴きながら絵を描くらしく、しばし音楽談義に華が咲く。

この一本の電話がきっかけとなり、わたしの人生が音をたてて動き出す。


しばらくして今度は、山本画伯からお電話があり、なんと内田先生をわたしに直接紹介してくれるというではないか。しかも内田先生のご自宅でコタツを囲んで麻雀をするという、望んでも到底実現しないような、もう想像をはるかに凌駕《りょうが》する夢のようなシチュエーション。

生身の内田先生は本を通してもっていたわたしの頭のなかのイメージを優に通り越して、純粋にかっこよかった。（変な言い方になるが）とても「大人」に見えた。麻雀しながら、会話の成り行きで「道場を建てたい」という耳を疑うような言葉を先生が口にしたとき、稲妻のような衝撃が身体に走って次のように口走る。

「ぜひ、なんでもやらせてください」と牌《パイ》を倒さんばかりに前のめりになって申し入れたら、即座に「そう、じゃあ、土地が決まったら連絡するよ」とあっさり言われたので、なんだかちょっと拍子抜けした。というか、もう腰が抜けそうなほど嬉しい反面、もうひとりのわたしは冷静に、「おいおい、そんなの社交辞令に決まってるじゃないか」と言ってどこか冷めている。しかし、である。本当の奇跡はそのまた数カ月後に起きる。「土地を買いました」と題したメールが届いたのだ。

念願だった、はじめての設計依頼というやつは、思いがけず、向こうからやってきた。

それから一年の設計期間と一年の工事期間を経て、凱風館が完成（拙著『増補 みんなの家。』（ちくま文庫、二〇二〇）に詳しい）し、まもなくしてわたしもやりたくなったので、凱風館の道場で合気道を学ぶようになった。ごくごく自然とそうなった。

小学生のときから野球にバスケと、根っからのスポーツ少年で、球技を通していわば競争社会のなかでどっぷり揉まれて育った「負けず嫌い」なわたしにとって、試合のない、強弱勝敗を競わない、武道の世界はなにからなにまですべてが新鮮だった。畳の上で飛びまわるのがあまりに楽しかった。

内田先生からいただいた最大の贈り物のひとつは、紛れもなく、この「武道の世界の扉をひらいてくれたこと」であると、いまでは断言できる。

まだまだ続く。それから、内田先生の教え子で書生の永山春菜さんと結婚し、著者と読者という一ファンからはじまった先生との関係も、依頼主と建築家を経て、ついぞ師匠と弟子となり、さらには結婚式の仲人《なこうど》まで引き受けていただいた。さながら娘婿にでもなったような気分である。

内田先生の第一印象が「大人」に感じられたのは、ごく自然と真似したくなるほど尊敬できる背中を見せてくれる身近なひと（ロールモデル）だったから。そうした大人がひとりいるだけで人生をずいぶん豊かなものにしてくれる。道場でお稽古しているときも、先生の本を読んでいるときも、どのような形であれ、内田先生の紡ぎ出す言葉には、強烈な指南力がある。

それは、たしかな声としてわたしの心にグサグサと刺さってくる。『ためらいの倫理学』が知性のあり方を教えてくれたときから一貫して、内田先生の言葉の根底に流れるのは「いかに生きるべきか」という切実な問いである。加えて、そうした困難な壁に立ち向かう際の「考える深度の指標」がわたしにとっては内田先生であり、それ故に灯台のように高くそびえ立つ師なのである。

明日は、そんな内田先生と久しぶりに人前で公開対談をすることに、珍しく少し緊張している。つねに先生の著作にも親しんでいるため、ごまかしが利かない。百戦錬磨《れんま》の先生にとって「いつものフレーズ」に回収されない、予定調和にならない新しいお話をいかに引き出せるか、どこまで大風呂敷を広げられるかが問われる真剣勝負。果たして、そんなことがわたしにできるのだろうか。

いまのわたしにとってもっとも切実な問いである「武道的な身体運用」について、じっくり腹を据えて訊いてみたい。つまり、個としての身体から考えていくことであり、その先には、当事者としての自分の外にいる他者との関わりを考えることになるだろう。社会と個の関係について、いかに集団を形成するか、その集団と集団の運営について、私と公共性というテーマが見えてくる。そうした視点から創造的であることの幸福について、内田先生の本を読んでいるときのように一緒に考えてみたいと思っている。

大人が増えれば「公共」は立ち上がる

内田樹との対話

社会的人格とドローイング

光嶋　内田先生には、僕が二〇一二年に青山にあったギャラリー「ときの忘れもの」（現在は駒込《こまごめ》に移転）ではじめて開催した個展にお越しいただき、そのときにはじめて出版した『幻想都市風景』（羽鳥書店、二〇一二）という作品集にも寄稿してもらった文章がありますが、覚えてますか？

内田　えっ、覚えてない、ごめんなさい（笑）。

光嶋　「テクノロジカルな付喪神たち」というタイトルですが、もう覚えてないですか。

内田　覚えてないなあ。あ、でも、「付喪神」という文字列には記憶がある。どんなこと書いてたの。

光嶋　えっと、最初の一文が僕のことを「絵に描いたような好青年」というふうにしてはじまるんですが、僕の絵の感想、分析が面白い。そして、人間がいないと。

内田　あ、そうそう。君の絵のなかには人間がいないんだよね。

光嶋　そこからその、人間がいないにもかかわらず、無生物であるはずの建築群にテクノロジカルな付喪神が宿ると。そこに人間がいないことでむしろ人の存在を感じさせ、また人間が不在でも美しさはそこにあるみたいなことが書かれていて、生身の僕が実際にもっている明るさみたいなものとは別に、ドローイングのなかには不思議な暗さみたいなものがあり、それが僕の抱える「複雑性である」と書いています。

内田　あのドローイングは君の「自己表現」ではないよね。もちろん、光嶋君のなかにあるものが作品に関わってはいるんだけども、光嶋裕介っていう社会的なキャラクターとは基本的に関係がない。作品ってそういうものだよね。どちらかというとむしろ社会的な人格が抑圧したり排除しているものが露出してくる。

光嶋　なるほど、僕の人格が知らないうちに抑制してしまっているものが、無意識的にドローイングにおいて表出してしまうのかもしれない。思えば、僕が先生に設計依頼を受けたときも、いの一番で当時から描きはじめていた幻想都市風景のドローイングを見せたように思います。本当は設計依頼を受けているわけだから、こういうものを設計してきました（ドイツ時代の作品もいくつか見せたと思いますが）というのが筋ですが、僕はドローイングを見せることで自分がアピールできると考えた。そのとき僕はてっきり内田先生が凱風館の設計者をコンペで選定すると思い込んでいて、いかにほかの建築家よりもインパクトを与えて、覚えてもらえるか、その特異性を伝えたくてドローイングを見せたんです。ところが、びっくり仰天、依頼は僕だけだった。この若造が描いた絵しか見ていないなかでの単独指名。

内田　そうだよね、ほんとうに大胆なことを決定したと思います。いまだったらしないかも（笑）。あのときは直感的に「この青年に任せよう」って思ったんだよね。

成熟とは複雑化のプロセスである

光嶋　自分で思うのは最近、植物的なモチーフが頻繁に登場するようになったことですが、内田先生が感じる僕のドローイングにおける変化みたいなものはありますか？

内田　それは、もちろん変化していると思うよ。とにかく上手くなってる。以前、井上雄彦《たけひこ》さんが、漫画には小説に対してアドバンテージがあると言ってたことがある。漫画家はネームを書く仕事と、絵を描く仕事の両方をしなければいけないでしょ。ストーリーの構想力は急に伸びるものじゃないけど、画力は間違いなく描けば描くほど上がる。そして、画力があるレベルまでいかないと語れない物語っていうのがあるらしい。それまで描けなかった風景とか、描けなかった人物の角度だとかが描けるようになると、ストーリーに幅が出る。たしか、そういう話を聞いたと思う。

君の八年間を見てると、描けば描くほど上手くなっているね。間違いなく、どんどん技術が向上している。技術が向上すると「できること」が増える。あれもできる、これもできるって、選択肢が増えると、それだけ自由度が高まる。だから、もちろん最初の頃に描いたもののほうが、光嶋君らしく初々《ういうい》しいのかもしれないけど、やっぱり硬いよね。それと「光嶋裕介はこういう絵を描く人です」という自己主張というか、自己限定しようとするところがあるね。

それはどんな分野でもそうなんだけれど、若い人は一日も早く自分のスタイルを確立しようとするでしょ。ほかのクリエイターとどうやって差別化するかを、つい考えてしまう。でも、時間が経って経験を積んでくると、いつのまにか「なにを描いても俺は俺だから」っていう感じになってくる。自分のスタイルを別に意図的にほかの作家と差別化しようとしなくても、なにを描いても「光嶋らしさ」が出てくる。

特にこの和紙を使ったり、金箔を使ったりというのは、ほかのクリエイターとのコラボレーションだよね。ゴッチとのコラボレーションのときもそうだったけれど、異分野の人とのコラボレーションできるようになったというのは、光嶋君が「自分らしさ」という呪縛から自由になってきたからだと思うんだよ。光嶋君自身が本来は複雑な人間なので、作風が複雑になってより君らしくなってきたんだと思う。

勘違いしている人が多いんだけれど、ものをつくり出すというのは、あらかじめ輪郭のくっきりした個性なるものがあって、それを作品を通じて表現するというプロセスじゃないんだよ。逆なの。自分がどんな人間なのか、頭で考えて簡単にわかるほど、人間って単純じゃない。自分を構成しているものって、わけがわからないんだよ。いろいろなファクターが渾然《こんぜん》一体となって人格を形成している。だから、本当の意味で自分らしくなろうとすればするほど、出てくるものはどんどんわけがわからないものになる。でも、そういうわけのわからないもののほうが自分としては納得がゆくんだよ。内なる個性を作品で外に表現するというのではなくて、外に出た作品を見て、自分がなにものであるかを知る。

「成熟とは複雑化のプロセスである」というのは僕の持論なんだけれど、光嶋君の作品の八年間の経年変化を見ると、明らかに複雑化している。光嶋君がもともと持っていたセルフイメージには収まりきらないものがどんどん入り込んできて、その結果より君らしくなっている。

光嶋　ちょうど先日、山口県の萩にご一緒させてもらって、凱風館の老松を描いていただいた山本浩二画伯の《雪舟と山本浩二》というすごい展覧会があり、オープニングに駆けつけました。本当にいつも画伯からいろんな話を聞くんですが、やっぱり本人の作品を前にして語られる言葉っていうのはすごく深い奥行きをもっていて、重層的に響くものがありました。とりわけ印象に残っているのが、「尊敬するものと同じものは描かない」ということ。

どういうことかというと、「創造はつねに模倣から生まれる」っていうことと、「好きで尊敬している人の絵を真似しない」っていうのは、矛盾しているようだけど、尊敬する者に対する意気込みと愛情が強烈に同居していました。ベラスケスのことをあれだけ熱く語っていた画伯が、彼から学んだ最大のことは「筆の跡を残す」ということだった。しかし、若き画伯は決してそれを真似しない。筆跡を残しただけではもちろんベラスケスにはならないのだけど、なにかその気概みたいなものが時間をかけて滲《にじ》み出てくるようで、自身の作品の前だと言葉に格段の重みと説得力が生まれるのをヒシヒシと感じました。

そのとき僕は画伯の話を聞きながら、自分の作品において金箔を貼る意味について改めて考えました。ベラスケスの筆跡のように、僕は画伯の真似をしたい気持ちをぐっと抑えていたんでしょうが、じつは金箔という点では……。

内田　気づかずして、画伯の真似をしてたんだね。

光嶋　ダイレクトに真似したというわけではないのですが、画面のなかに物質として異物を配置することで、鑑賞者との距離を明確化するということを金箔を貼ることで意図していたので、二次元の画面のなかに、三次元のもつ立体感や奥行きをつくり出すための試みという意味では同じでした。それは、尊敬する者と同じものは描かないっていう視点からは、そうなのかもな、と萩での画伯のお話を聞きながらハッとさせられました。

内田　もとは同じアイディアでも、出てくるときはまるで違うものなんだよね。それがじつは同じところから生まれたものだということはあとになってわかる。あとになって、「ああ、このアイディアってあれだったのか」って。

エルヴィスプレスリーと
マーク・トウェインが成し遂げたこと

光嶋　真似から模倣、いろんなトライアルが文化を熟成させるためには、こうしたアイディアを転がしていくことは、やっぱり個人よりも、集団でやったほうがいいんでしょうか？

内田　そうだね。

光嶋　実質的には誰も無から一をつくっているわけじゃない、ということを自覚するところがスタートラインになるように思います。

内田　ゼロからものをつくり出すっていうことは誰にもできない。いろいろなものを参照して、いろいろなものを滋養《じよう》にしてものをつくり出す。そして、その素材の種類が多ければ多いほど、作品には世界性があると思うんだよね。

ロックンロールがすごいのは、それを構成する素材が多様だったからなんだ。これは大瀧詠《えい》一《いち》さんの《アメリカン・ポップス伝》の請け売りなんだけれど、ロックンロールって一九五六年からせいぜい三年くらいのあいだに、生まれて、完成した奇跡的な音楽ジャンルなんだよ。ほんとうに創造的だったのはエルヴィス・プレスリー、バディ・ホリーたち数人で、五九年以後はもう繰り返しなんだ。

エルヴィスは最初カントリーチャートで一位になったあと、五六年に《ハートブレイクホテル》でナショナルチャートに登場するんだけれど、エルヴィスの偉大な点は、カントリーとリズム＆ブルースとポップスの三チャートでトップになったことなんだよ。リズム＆ブルースは黒人の音楽、カントリーは白人の音楽で、歌唱法も違うし、メロディもリズムも、楽器編成も違う。だから、カントリーの曲がリズム＆ブルースチャートに入ることはないし、リズム＆ブルースの曲がカントリーチャートに入ることもない。そこには乗り越えられない人種の壁があった。それをエルヴィスが破った。都市の黒人も、白人中産階級のハイスクールの子どもたちも、田舎のカントリー好きの兄ちゃんも、みんなが「これは自分たちの音楽だ」と思った。人種の違いも階層の違いも超えて、若者たちに「自分の音楽だ」と認知されたという点がロックンロールの偉大なところなんだよ。

光嶋　異なるジャンルを優に越境して、大きな集団と接続するエルヴィスの音楽的世界観。

内田　エルヴィスが「キング」と呼ばれていまも国民的な崇敬の的であり続けているのは、短いあいだだったけれど、「アメリカ人がひとつになった」幸福な瞬間の記憶と結びついているからだと僕は思うんだよ。その記憶をみんな懐かしんでいる。ロックンロールの時代のあと、音楽はふたたび人種や階層によって分断して、それ以後三つのチャートで一位になるミュージシャンは出現しなかったわけだからね。

　エルヴィスが「キング」と呼ばれるのは、マーク・トウェインが「アメリカ文学の父」と呼ばれるのと理由は同じじゃないかと僕は思うんだ。『ハックルベリー・フィンの冒険』は一八八五年、南北戦争が終わったあとに、北部の読者と南部の読者のどちらにも受け入れられて「これは自分たちのための文学だ」と思えた最初の文学作品なんじゃないかと思う。

　ハックルベリー・フィンは南部の少年だから、奴隷制度になんの疑問も抱いていない。でも、もののはずみで逃亡奴隷のジムと筏《いかだ》で旅することになる。だから、旅のあいだ、ハックはずっと葛藤しているんだよ。奴隷の逃亡を手伝うという法律上も倫理的にも「正しくないこと」を自分はしていると思っているから。でも、ジムの温かい人間性や勇気を知ると、友情と敬意を抱かずにはいられない。そこで、法律を破ってジムの逃亡を手伝うべきか、法律に従って主人のもとに戻すべきか、ハックルベリー・フィンは悩む。ハックルベリー・フィンというのは見た目はなにも考えていない、内面のない子どもなんだけれど、じつは複雑でわけのわからない子なんだ。だから、彼は北部の読者にとっても、南部の読者にとっても等しく感情移入できる主人公になった。それによってマーク・トウェインはある種の国民的和解を実現したんじゃないかと僕は思うんだよ。だから「アメリカ文学の父」と呼ばれることになった。文学性から言ったら、ポウとかメルヴィルのほうが「アメリカ文学の父」と呼ばれてもいいはずなのに、マーク・トウェインに「父」の称号が贈られているのは、エルヴィスの場合と同じく、分断されているアメリカ国民に一時的にではあれ和解をもたらしたからだと思う。そして、このふたりともがアメリカを超えて、世界性を獲得した。複雑なものをつくり出すことがたいせつだっていうのは、そういうことなんだよ。

芸術家の野心

光嶋　いまの先生の音楽や文学における分析と仮説を聞いていて、もしそうだとしたら、エルヴィスやトウェイン、当の本人たちは「国民的な和解」を自覚していたのだろうかって気になりました。

内田　いや本人たちはそんなことは考えてなかったと思う。「やりたいこと」をただ素直にやっていただけじゃないかな。

光嶋　アメリカのような合衆国において、人種集団のあいだを架橋することって、考えて狙って実現できるほど単純な問題ではないですよね。

つい頭で考えがちですが、むしろ身体感覚に委《ゆだ》ねて自分にとって必然的なことを自由にやりたいように没頭していた結果、多くの人に届いてしまった。

内田　そう。あまり早い段階で「自分のスタイル」を確立しちゃうと、そのあと伸び悩むという話にも通じるでしょ。

光嶋　スタイルを確立すると自己模倣に陥りやすい。そのためには、やっぱり外部に対してつねに窓を開けておきたい、他者性にひらかれていたいと僕は思っています。自分を開放するきっかけは、いつも他者にあるので。最近、植物的なものを描くようになったというのも、どこか「生命力」という自分ではまだ厳密に説明（言語化）できないわけのわからなさをもって描いていく感覚を大事にしているからだと思うんです。

内田　あまり言葉にして説明しないほうがいいかもしれないね。自分に対しても。美術家の野心っていうのは、一言で言うと、「空間的には表象しえないものを表象すること」なんじゃないかと僕は思うんだ。絵画では実現できるはずがないことを絵画で実現する。それが作家の法外な野心なんだと思う。そして、「空間的に表象できないもの」っていうのは「時間」なんだよ。だから、画家の究極の野心はタブローの上に「時間」を定着することになる。

前に山本浩二に磯江毅《つよし》さんの展覧会に連れて行ってもらったことがあった。磯江さんの絵は、光嶋君も知ってると思うけれど、超絶的に写実的な絵でしょ。そのとき何点か絵を見せてもらったら、なんだか「屍臭《ししゅう》」のようなものがしたんだよ。正直にそう言ったら、磯江さんがちょっと顔色を変えた。それは皿に載った葡萄《ぶどう》の絵なんだけど、描いているあいだに当然葡萄が傷んでくる。だから、腐った粒はちぎって捨てて、

内田樹（武道家）　9.3.19＠銀座教文館書店

「武道と空間について」
〜集団で思考する〜

付喪神
無生物
ゆらぎ・流れ

個・身体 ― 数値化できない
群をなす集団　家族　共同体
拡大家族
場 ― 公共性
アジール
文化的である
「分からなさ」
・外部性
・多様性
（予測不能）
物理的な力（エネルギー）
過剰であること
暗さ・暗闇
芸術

描く線で発見するもの
三次元 → 二次元

「尊敬するものと同じものは描かない」
"Another Nature" 山本浩二

同化する／表情がある／指南力を感じる

空間を認知する身体（根拠とする）
把握
時間を経験
記憶
記憶の器
「人間がいない」
美
物語
想像
表現
ストック　アクセス
アーカイヴ
自我
解釈可能性
開く・広げる
自由
発見
創造する
つくる喜び　幸せ
詩　ポエジー／言葉にできない何か

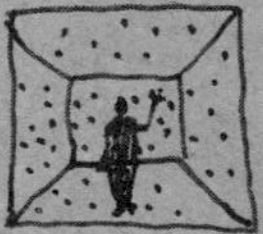

言葉
非言語

◎生命力を高める
ご機嫌である
HAPPY

空間と同化し、身体に入り込む
身体が空間を物質化する

「雑多なモノが同居した空間」
不連続統一体（吉阪）

それと似た形の粒を接着剤で着けてまた続きを描いたんだそうだ。そうやってひと月かけて書き終わった頃には、最初の葡萄はもう一粒も残っていない。だから、ひとふさの葡萄が腐敗して消滅してゆく時間が、じつはその写実的な一枚の絵の背後には流れていたわけだよ。僕はそれを「屍臭」として感じた。

光嶋　ほお、たしかに。それを言われたら、なんだか絶対時間を描いてやろうってフツフツと燃えてきますね。

内田　光嶋君も初期のドローイングを描いているときには「時間を画布の上に定着させる」というようなアイディアはまったくなかったと思うんだ。でも、面白いもので、時間が経って、腕が上がってくると、そういう野心がだんだん出てくる。今回の作品を見てると、光嶋君がなんとかして運動、時間の流れ、あるいは、生死とかを空間的に表象しようとしている努力のあとが見えてくるね。最近「植物を描きたくなった」というのもそういうことだと思う。「生命が描きたくなった」ということなんだと思う。「生命を描く」というのは、生と死を描くということだから。

集団的な叡智

光嶋　ここからは武道と空間について、創作とか、つくるってことに話をシフトしたいと思うんですが、対談のタイトルにある「集団で思考する」っていうのは、身体を通して建築を考えるっていう連続シリーズの大きなテーマのなかで、身体と空間のことを考えていくと、その先には、個としての創造から、他者との接続、つまり共同体をつくっていくことにつながっていくんじゃないか、と。そこで、先生とは「集団で思考する」こと、人と人がどう接続していくかについて、身体を思考する延長線上に考えてみたいと思ったんです。

内田　ここに来る前にね、筑波大学附属小学校で道徳教育の専門の先生と話をしてきたところなんだよ。そのときに、教育ってやっぱり集団の実践だという話をしたんだ。教育は教師ひとりでできることじゃない。教員「たち」として、集団で子どもたちの前に立って、子どもたちに働きかけることではじめて学びが起動する。そのちょっと前も、村上春樹さんと川上未映子さんの対談の本で……。

光嶋　あっ、『みみずくは黄昏に飛びたつ』（新潮社、二〇一七）ですね、あれ、めちゃめちゃ面白かったですね。

内田　そう、そのなかでさ、村上さんが「絶対自分は手を抜かない」って書いていた。手を抜いて書いたものは、そのときはわからなくても、時間が経ったら必ずわかるからって。そのときに「ある程度のタイムスパンのなかでの、集団的な叡智《えいち》を信じる」ということを村上さんが言っていた。これはほんとうにそうだと思う。長期的・集団的な人間の叡智は信じてもいい。長いタイムスパンのなかで、多くの人たちのやりとりを経由したあとで、人間たちが下す判断はかなり適切なんだよ。短期的にはたしかによく間違える。でも、長期的・集団的にはそれほどひどい間違いはしない。

　僕のところに来る若い子たちが「これからいったい日本はどうなるんでしょう。もう終わりですか？」みたいな悲観的なことを言うことがある。僕が「そんなことないよ」と答えると「どうしてそんな楽観的でいられるんですか」と不思議がられる。でも、長く生きてきたからわかるんだけれど、ある方向に行きすぎると、どこかで必ず「底を打って」、バックラッシュがくるものなんだよ。間違った道を進んでいれば、そのうち必ず「とんでもないこと」が起きて、方向転換をするようになる。歴史の審判力はそれくらいには信じてもいい。

実際に見てごらん、一九世紀からいままでのことを考えてみたら、たしかにこの二〇〇年で人類はあんまり進歩してないし、気候変動とか、新自由主義とか、むかしより悪くなっているというところもあるけれど、それでも基本的人権はずいぶん尊重されるようになったし、強制収容所や拷問や秘密警察も先進国ではもう見ることがなくなったし、女性差別や人種差別もずいぶん改善された。たしかに遅々《ちち》たる歩みだけれども、長いタイムスパンのなかでは、集団的にはちょっとずつ人間は正しい方向に行っているんだと思う。

光嶋　たとえば建築の学生たちが集団で旅に行くのなんかも、ちょっと危険というか、似た者同士の仲良しばかりとつるんでいると、どうしても惰性というか、安住してしまいやすい。変化し、成長する余白が小さくなる。それより、自分の弱さも実感できるようなある意味「わけのわからない集団」というものが学びには小さくない役割を果たすと思うんです。そうすると、属している集団の居場所として、多くの人が集まる公共的な場所こそがその集団の鏡として存在することになる。いま、日本中の公共空間がどこもすごく似てきているのは、集団形成の方法が画一化しているというか、均質化した似た者同士を束ねる方向に力が働いている結果だと思えてならないんです。集団と建築の関係性が相関すると、似たような空間の公共的な場所で、似たような集団だけが集まり、どうしたって排他的な空気がその集団の外に対して生まれてきてしまうことに強い危機感を覚えます。いかに、こう幅を広くもたせられる風通しのいい集団づくり、いきいきした居場所づくりができるか、ずっと考えています。

同質化圧と均質化圧

内田　いまの日本で働いている圧力って、ふたつあると思う。ひとつは、いま君が言った通り同質化圧。とにかくみんなを同じ枠にはめようとする強い圧力が働いている。学校でも会社でも、消費活動でも。あらゆる社会的活動で同質化圧が働いていて、規格外のものを見つけると弾き出す。

それは、生産主体も消費主体も規格化され、均一化であったほうが資本主義的には好都合だからなんだよ。労働者が規格化されていれば互換性が高くなるから、「いくらでも君の代わりはいる」と言って、雇用条件を叩ける。消費主体が規格化されて、欲望が均質化されていれば、同じような商品を欲しがってくれるから、製造コストは最少化できる。

でも、それより怖いのは、自分が自分に向けて加圧している均質化圧のほうなんじゃないかと思う。それは、早い段階から、集団内部での自分の「キャラクター」を固定化するというしかたで行われる。「お前のキャラはこれな」っていうふうに一度「キャラ指定」されてしまうと、みんなが期待している「それらしい」こと以外の言葉は口にしてはいけないし、「それらしい」こと以外のふるまいもしてはいけなくなる。たしかに割り振られた「キャラ」を忠実に演じているかぎり、集団内には居場所がある。振りつけられた通りのことを言って、期待されている通りのふるまいをしていれば、周りからは「仲間」として承認される。でも、そこから一歩でも外れると、居場所がなくなる。「らしくないこと言うなよ」とか「らしくないことするなよ」というのは、極めて暴力的な禁令なんだけれど、それが子どもたちの成長を妨害している。

光嶋　最近は「キャラ立ち」ってこともよく耳にしますね。

内田　「キャラがかぶる」とかね。中学生くらいがそういう芸能界の用語で学内カーストについて語るのを聞くと、僕は気持ちが悪くなる。「キャラがかぶる」と存在理由が半減する。だから、「キャラを立てる」ということをしないといけない。でも、キャラの選択の範囲ってほんとにわずかしかないんだよ。子どもの頃に、新しいクラスになると、あっという間に「キャラ設定」されてしまったじゃない。

光嶋　ジャイアンキャラ、のび太キャラ……。

内田　そう、そう。そういうふうに、誰か声の大きいやつが「ウチダはなんとかだな！」ってひとをある定型にはめ込んでしまう。一度決まると簡単には覆《くつがえ》せない。最初に「ウチダはおとなしい優等生だ」というキャラ設定をされてしまうと、クラス替えが来るまで、一年も二年もそのキャラを引きずることになる。

光嶋　指定されたキャラをずっと演じていると、必ず純化しますね。僕も小学生のときから「学級代表キャラ」でした。先生に気に入られないといけない、というか。

内田　僕も優等生の時期が長かったなあ。だから、同じ中学から上がった子がほかにひとりしかいないのをさいわいに、「高校デビュー」で一気に「ボンクラ不良高校生」というものに「キャラ替え」をした（笑）。これはほんとうにお気楽なキャラで、すごく生きやすかった。

いま、「みんなちがって、みんないい」とかっていう言い方するじゃない。「ナンバーワンよりオンリーワン」とか。あれは良くないと思うんだよね。だって、「オンリーワン」になるということは、集団内で一度キャラ設定されたら二度とそこから出られないということじゃない。

光嶋 ああ、なるほど、じつは無意識のうちにひとつのキャラに閉じ込められて、抑圧されてしまい、とても不自由になっているんですね。

内田 「オンリーワン幻想」って一種の呪いだと思う。ジャニーズ事務所って、ある意味で現代日本における規格化圧の典型じゃないかと思うんだよ。グループ内では、全員のキャラがうまくばらけて、キャラがかぶらないように設定してある。だから、みんな自分に最初に振られた役から出ることが許されない。彼らって、早い子は小学生のときからグループで一緒にやっているわけでしょう。最初に顔を合わせたときに「君はこういうキャラ」って設定されると、それからあと何十年も、四〇歳過ぎても、五〇歳過ぎても、最初の設定から出ることに強い規制が働いている。それって、一種の地獄じゃない。周りは「個性」だと思っているかもしれないけれど、本人は子どもの頃に振られた役を演じ続けることに飽き切っていると思う。でも、メンバーの誰かが勝手に「キャラ変更」すると集団がもたない。だから、ある時点で「オレはもうこんなキャラを続けるのに我慢できない」という子が抜けて、グループが解散する。

ジャニーズ的なものを「個性的な人たちが集まっている理想的な集団」だと思う人がいるかもしれないけれど、それは違うと思う。いまの日本で「個性的」っていうのは、与えられたキャラをきちんと演じ切って、変化も複雑化もしないということなんだよ。

光嶋 キャラが純化すると、伸び伸びと健全な自我の開拓ができなくなる。本来は、自分なんてものは定まっていなくて、さまざまな他者と交わって重なり合いながら、変化し続けるもの。キャラの固定は、自分が変わるチャンス、つまり本質的な学びがなくなり、思考停止状態にしらずと閉じ込められてしまう。ずっと成熟しないで、子どもみたいな大人ばかりになってしまうんですね。

大人の主権と私有財産をベースにした公共性

光嶋　集団で思考するということから拡大家族について考えていくと、「公共性」というテーマが浮かび上がってきます。この公共性っていうのも、突き詰めると、人間はひとりで生きてはいけず、社会をまわすためには自分ありきじゃダメだということ。個のときは自分がハッピーになりたい、自分が美味しいものを食べたいという具合に、自己の欲求を満たすために行動すれば良いけれど、それが家族や、大きな集団になっていくと、そう単純にはいかない。

内田　公共というのは自然物のようにそこにあるものじゃない。公共というものがない時代、「万人の万人に対する戦い」の時代には、全員が、利益と権利の最大化を求めて相争っていた。でも、力のあるものは弱いものから奪ってよいというルールで、お互いに喉笛を掻き切り合っていると疲れてしょうがない。ろくに眠ることだってできない。それよりは、全員が私財私権の追求を一時的に抑制して、その一部を公共に供託して、メンバー間のトラブルの調整や、ルールを破った者を処罰する権利を公共に託すことにするほうがいい。その方が私財も私権も安定的に保持されるから。ほんとうに利己的な人間は、おのれの生命自由財産を守るためにむしろ非利己的にふるまうようになるというのがロックやホッブズの立てた近代市民社会論の基本的なロジックなんだ。「万人の万人に対する戦い」の時代なんていうものが歴史的にほんとうに存在したのかどうかはわからないけれど、とにかく「そういう話」を採用して、近代市民社会を理論的に基礎づけた。

でも、公共の起源は私財・私権の供託にはじまるというストーリーはいまでも有効だと思う。いまは生まれたときから国民国家があったり、地方自治体があったりするから、僕らは公共というのは、そういう既存の制度のことだと思っている。でも、違うんだよ。公共は安定した制度として存在するわけじゃなく、そのつどつくり出すものなんだ。僕たちが日々国家や自治体にクレジットを連続的に供与することではじめて公共は生き延びることができる。公共というのは生き物なんだよ。だから、餌をあげないと餓死してしまう。

光嶋　そうか、公共というのは「お上」が与えてくれるものではなく、大人が自前でつくるものなんですね。それをフリーライドしちゃダメで、みんながフリーライドしてたら一気に枯渇してしまう。だからこそ、利己的に閉じることより、利他的にひらくことを個々人が真剣に考えないといけなくなる。自分が出してないものに対して、タダで食べていくようなことでは良くないから。

内田　そう。全員がフリーライダーで、公共のものを削り取って、自分のふところに収めようとしたら、公共は崩れてしまう。でも、そういう公共心のない人間はどんな集団でも一定数は必ずいるものなんだよ。それはしかたがないんだ。実際に、すべての市民が公共的・非利己的にふるまわないと社会が成り立たないということはない。すべての市民が正しくふるまわないと存立できない社会というのは制度設計が間違っているんだ。それで崩れるような弱いものではダメなんだよ。公共のことなんか考えずに、私利私欲だけを追求する一定数の市民を含んでいても壊れないようにシステムは設計されていないといけない。そういう人たちだって別にこの社会を壊してやろうというような邪悪な意志があるわけじゃなくて、ただ幼児であるだけなんだから。

光嶋　ん、幼児？

内田　そう、公共という概念を理解できないのは、彼らが幼児だからなんだよ。外側は中年や高齢者であっても、中身は子どもという人は周りにいくらもいるでしょ。彼らを責めてもしかたがないんだ。子どもは処罰の対象ではなく、教化の対象だから。彼らに対しては「もうちょっと大人になれよ」と説教するしかない。子どもは公共にフリーライドしてもいいんだよ。自分のものは全部ひとりで抱え込んで、集団のためにはなにもしないという人のことを「子ども」と言うんだから。

光嶋　でも、長い目で見たら、それがギブ・アンド・テイクになるんですか？

内田　子どもは公共という概念が理解できていない。そこに置いてある無限の資産だと思っている。だから一生懸命公的な資産を私財につけ替えようとする。公共からいくら持ち出しても構わないと思っている。でも、公共はそんなことをしたら立ち行かない。でも、そういうのはダメだよって言って聞かせても、わからない子にはわからない。経験を通じて学んでもらうしかない。だから、集団のせめて一五パーセントくらいは公共という概念を理解している「大人」であってほしい。「大人」が一五パーセントいれば、あとの八五パーセントが「子ども」でも、市民社会はなんとか回せる。それくらいに頑丈に制度設計はしてあると思う。だから、僕らの当面の課題は公共という概念を理解できる一五パーセントの「大人」をどうやって確保するかってことなんだと思う。

光嶋　江戸時代とかの旦那衆っていうのは、公共をよく理解してたんですね。

内田　そうだね。

光嶋　旦那のように、社会には公共を理解した大人が一定数必要であることはたしかで、そうした成熟の方向へと進むためには、一番最初に話していたような「複雑さ」とか、「わかりやすさより、わからなさを内包しながらちょっとずつ進む寛容な感覚」がないといけない気がしています。大人不在だと、みんなが思考停止してしまい、反知性的な社会になってしまう。

内田　市民的に成熟することがないかぎり、公共という概念は理解できない。でも、病んでる人も、貧しい人も、弱い人も、みんなが健康で文化的な生活を、自尊感情をもって暮らせるようにするためには、しっかりした公共を築くしかない。だから、公共のために身銭を切ることのできる「大人」を周りにひとりでも増やしてゆくことが僕たちの仕事なんだよ。

余韻

成熟した大人になるために

昨日の内田先生との公開対談は、誠に意味深い時間となった。

昨夜あの時あの場所で、頭をフル回転させて鮮度の高い言葉を先生が生成していく瞬間に立ち会うことができた喜びで、わたしの身体はすっかり火照《ほて》っていた。

それができたてホヤホヤの思考であるひとつの証《あかし》が、対話中に先生が幾度となく右手の中指で右目尻のあたりを触っていたことにある。というのも、内田先生が真剣になにかを考えているとき、無意識にこの仕草が頻発することを、わたしはこれまでの観察で知っている。いつしか、これが内田先生の本気度を測る指標となっていて、昨日はじつによく触っていた。

「前夜」に書いたように、内田先生の言葉は「強い指南力をもつ」。昨夜も、強く実感した。

先生が語ると、思いもよらぬ物事が、あたかも最初からそうであったかのように、あっちの点とこっちの点とがピタッと結ばれ、自分の認識がガラッと変えられてしまうのだ。予想外なふたつの点が綺麗につながることで、スイカに塩をかけると甘さが増すように（いや、ちょっと違うか）不思議な化学反応が起こる。そうか、そういうことだったのか、というふうに学びが発動する。黄色い絵の具に赤色を重ねるとオレンジ色になるように、自分のなかの視点が既知の世界から、未知の世界へと柔らかに移動する。

瞬発力が求められる公開対談のなかで、グンとギアが上がり、対話にドライブがかかったときの先生の言葉は、特に指南力が強い。聞き手に知的高揚とともに、思わぬ気づきが芽生える言葉には、必ず「命懸けの跳躍」がある。

ひとつの地点から別の地点に跳ぶことには、いつだって不安がつきまとう。その不安を振り払い、勇気をもって跳んでみないとわからないからこそ、ひとはジャンプする。

アップル社を創業し、世界中に夢を与え続けたスティーヴ・ジョブズが生前、スタンフォード大学の卒業式で行ったスピーチも強い指南力がある。そのスピーチは〝Stay Hungry, Stay Foolish〟（いつもハングリーであれ、いつも愚直であれ）という眩しいメッセージで締めくくられている。このハングリーな愚か者には、自分の心と直感に従って命懸けの跳躍をする「勇気」が備わっているということをジョブズは、フレッシュな社会人となる卒業生たちに熱く語り、その背中を押した。勇気をもって跳躍をしたひとは、まるで魔法にでもかかったかのように、それまでの自分とはちょっとだけ別人になることができる。

昨夜の対話でも、そういう展開があった。

内田先生が萩での《雪舟と山本浩二》展の話から絵画における二次元のなかの三次元性について語られたあとに、「究極的には画家たちは、時間を描きたいはずだ」と述べたときの熱量が凄まじかった。評論家であり劇作家でもある福田恆存《つねあり》は、『藝術とは何か』（中央公論社、一九七七）という本の結論部分において「美とは時間の空間化、空間化された時間を、意味するものにほかなりません」（一五二頁）と美の本質を時間と結びつけており、昨夜の対話とシンクロする。これも、決して偶然ではないだろう。

なにかをつくる際に「作品について説明しすぎないほうがいい」と内田先生が断言されたときも、どこかバーンと心の窓が勢いよくひらいて、爽やかな風が吹き込んできた。その瞬間、深く呼吸ができるようになった。福田は、同じ本のなかで以下のようにも述べている。

> 美の秘密は——美をなりたたせるもっとも重大な要因は——作品のうちには存在しないということを、われわれははっきり知っておかなければならない。
>
> 美は芸術家と作品のあいだに——あるいは作品と鑑賞者とのあいだに——成立するも

のであります。

（同、九八頁）

ここに作家が作品のすべてを言語化できない秘密がありそうだ。つまり、作品を説明できないというのは、（福田が言うように）美を成り立たせる大事な要因がそもそも作品のうちだけには存在しないのであって、作品の美しさも作家の手を離れて、鑑賞者という他者に委ねられているというふうに捉えると、少し肩の荷が下りる。

なるほど、作品の生みの親である本人でさえ、自作を完全に理解することなどできないということを、福田は教えてくれている。芸術が自由であり続けられるのは、こうした多様な解釈にいつだってひらかれているからだ。そうした芸術の「わからなさ」も含めて、身体に内包することができれば、人間というものはより複雑な存在になっていくチャンスを得る。そして、複雑な存在としてゆっくり成熟へと向かうことができるのかもしれない。

内田先生と話しているうちに、そうして成熟した市民（むかしの旦那衆）が少しずつ増えることで、本当の意味での「公共性」というものが社会に立ち上がるという話題へと展開していった。先生は、私利私欲を抑制し、自らの財産を一部差し出すことでしか「パブリックドメイン（みんなで使えるもの）」としての公共はうまれないと言い切った。では、どうやって、そのような大人を一五パーセント確保できるのか。

そもそも、地球の一部である大地（土地）を個人が不動産として所有するということの本当の意味は、なんなのだろうか。空の空気や、海の水は、いったい誰のものなのか。

経済学者の宇沢弘文《ひろふみ》は、私的所有してはならない社会の共有の財産について「社会的共通資本」という概念を打ち出して、専門家による管理・運営を説いている。「社会的共通資本は、土地、大気、土壌、水、森林、河川、海洋などの自然環境だけでなく、道路、上下水道、公共的な交通機関、電力、通信施設などの社会的インフラストラクチャー、教育、医療、金融、司法、行政などのいわゆる制度資本をも含む」（『社会的共通資本』岩波新書、二〇〇〇、二二頁）とされており、これからは集団でこの社会的共通資本を「コモン」として運営する方法を社会全体で理解し、実践していかないといけないと思うようになった。

いま、地球が悲鳴をあげている。地球温暖化による異常気象をはじめ、気候変動による環境問題の重要性を勇敢に発信し続けているグレタ・トゥンベリーの名前を出すまでもなく、わたしたちはいままさに大きな壁を前にしており、いま一度「社会的共通資本」のことを自分事として真剣に考えて、行動しなければならない岐路に立たされている。

「地球と人間は、このまま一緒に幸せに生き延びられるのか？」という問いの切実さは、日に日に増しているのだ。そのために、個々人ができることと、集団としてできることを確実にやらないといけない段階にきている。有限な地球の資源を自覚し、持続可能な関係をつくり直すこと。

言うは易しだが、実行しないともう後戻りできない差し迫った喫緊《きっきん》の課題となっている。建設業界も、建物の解体などを中心に大きなゴミをうみ出し続けている。もう、臭いものには蓋をするように、見て見ぬ振りなど到底できない。そのツケが世代をまたいで、未来の子どもたちに負の遺産として渡されるようでは絶対いけない。

集団としてのコモンのあり方を考え進めていくうえで、村上春樹が言うところの「集団的な叡智を信じる」ということが示唆に富んでいる。個々人が自らの限られた身体的リソースに閉じていては、集団的成熟などありえない。つねに自らの身体的経験だけを基準にした査定的な価値判断では、いつしか疲弊してしまう。不自由になっていくことは避けられない。それよりも、自らの価値判断をもっと長い時間軸に委ねて、集団的な叡智を信じてみようとする寛容な姿勢に、わたしは強く共感する。

先の「自分の作品を完全には言語化できない」ことを自覚しながらも、ときにためらい、手探りで創作していく作家の寛大な態度に倣《なら》いたいものである。簡単にはわかり合えない他者とも共存するには、なにごとにも寛容であることが大事だし、そうするには、自分の心身を透明でゆとりのある状態に保ち、やはり物事を長い時間軸で捉える必要がある。そうして集団的な叡智を信じるためにも、いま一度自分のモヤモヤした身体感覚と向き合い、当事者意識を高め、自分の言葉を鍛え、ハングリーな愚か者として心の声にじっくり耳を澄ませたい。

第3章

対話的に思考する

前夜

幻想やポエジーの正体を知りたくて

三十三間堂で千手観音像を見ていたら、あれだけたくさんの手をもつことができたらさぞ仕事がはかどるだろうと子どもじみた考えが脳裏を過《よぎ》った。しかし、実際に千本もの手を同時にオペレーションする頭のほうがうまく操作できないのではないかと元も子もないことを考える。いや、もしかしたらいとうせいこうさんなら千本の手だって自在に使いこなせるかもしれないと思い直す。そんな憧れのせいこうさんと知り合ったのは、ひょんなことからであった。

能楽師の安田登先生とご縁があり、能のお謡いを習うことになったときに、せいこうさんがすでにお稽古されていたのだ。つまり、わたしはせいこうさんと稽古仲間であり、弟弟子という関係になる。これは、本当に偶然の流れでそうなったもので、実際に安田先生が主宰するこのお謡いの会は「ながれの会」という通称がある。

　じつに多種多様な人々が偶然の流れで集まってくる摩訶《まか》不思議な集団であり、編集者から浪曲師、作家、ミュージシャン、政治家までいる。残念ながらわたしは、東京から生活の中心が神戸に変わってしまったため、現在は休会中（コロナ禍になって、お稽古がオンライン化されたため、リモートでまた再開させてもらっている）なのだが、早朝に隔週で集まって二時間ほど安田先生にご指導いただきながら、腹の底から声を出すのはホントにすっきりして気持ちが良い。


　せいこうさんといえば、テレビをはじめ、形容し難いほど本当にマルチに活躍されている。残念ながら終わってしまったが「オトナの！」（TBS）という面白い対談番組（わたしも二〇一五年に画家の安野光雅さんと出演させてもらった）をユースケ・サンタマリアさんと一緒に司会していたり、ドラマにも出演するテレビの人だったり、日本にラップなどのヒップホップ・ミュージックをもってきた音楽の人だったり、アメーバのように捉えどころのないオールマイティーな人である。

　けれどもわたしは、やはり『ノーライフキング』（河出文庫、二〇〇八）からはじまる作家としての顔でもって「いとうせいこう」という存在を認識している。ことばの人として。長い充電期間を経て書かれた『想像ラジオ』（河出文庫、二〇一五）を読んだときは、静かに心が震えた。東日本大震災があれほどまでにリアルなものとして迫ってきて、包み込まれるような圧倒的な文学の世界を感じ、死者と出会い直すことの豊かさをしみじみと教えられた。

せいこうさんと話していると、その感受性や世界の捉え方がとても繊細で、緻密でありながら、会話の節々がいつもダイナミックに展開するスリルがある。そのうえ、独特なウィットにも富んでいて、驚異的に守備範囲が広くて、深いから、いつだって面白い。

駒込に移転した「ときの忘れもの」画廊で二〇一八年に開催したわたしの個展にも忙しいなか足を運んでくれて、ドローイングを前にして、あれこれと熱っぽく感想を話してくれたのがすごく嬉しくて印象に刻まれている。


今回は、改めてそんなせいこうさんに新作ドローイングをじっくり観てもらい、作家が作品を創作する姿勢について、なにかを創造することの本質について、たっぷりと語り合いたいと思っている。具体的には、創作を手助けする「幻想」や「ポエジー」の正体について訊いてみたい。建築と文学とではうみ出すものが違っても、本質的には自らの身体が知覚するものを、ポエジーの力を借りて空間や言葉に変換する作業という意味においては同じ地平に立っているのではないかと踏んでいる。

遠いようで近く、近いようで遠い。そんなことを変幻自在のスーパー・クリエイターであるせいこうさんと正面から話してみたい。明日の夜、まだ見ぬ景色を鮮やかに見させてくれるにちがいない。メモの藁半紙《わらばんし》に「憑依《ひょうい》する身体」や「現実は小説より奇なり」といった頭に浮かんできた言葉をスラスラと書きながら、ワクワクを通り越して、ちょっとドキドキしてきた。

明日、いったいどんな対談になるのだろうか。わざわざ銀座まで足をお運びの方々に果たして心底《しんそこ》楽しんでもらえるのだろうか。せいこうさんの面白さをわたしがどれだけ引き出せるのか。心許《こころもと》ないけれど、明日の対談をわたし自身が誰よりも楽しみにしていることだけは間違いない。

多孔性・反幻想・無時間

いとうせいこうとの対話

多孔性がある絵？

光嶋　今宵は、ついに、いとうせいこうさんの登場です。

いとう　どうぞよろしくお願いします。でも、わりと、ねえ、謡《うたい》のお稽古は一緒だから、しょっちゅう話はしてるんですよね。

光嶋　そうですね。じつは、宝生流《ほうしょうりゅう》ワキ方の能楽師である安田登先生の下で僕とせいこうさんは、謡のお稽古をつけてもらっているんです。

いとう　そう、僕は兄弟子なんです。

光嶋　しかし、こうして公開対談をさせてもらうのは、はじめてなので、ものすごく楽しみにしています。早速ですが、「頭で思考する」というストレートなテーマをつけてみましたが、これって、考えてみたら当たり前のことですよね。

いとう　まあそうだね。

光嶋　この連続対談を串刺しするコンセプトが「身体を通して建築を考えてみたい」ということであり、せいこうさんとはあえて、頭で思考することからスタートしてみたい。

二〇一八年の「ときの忘れもの」画廊での個展にいらしたときに僕のドローイングを見てたくさんコメントをいただいたんですけど、特に印象的だったのが「多孔性」という言葉なんです。

いとう　うーん、なんであんなこと言ったんだっけ。多孔性の孔ってのは、孔子の「孔」に似た、孔だよね、穴、穴ですけど。

光嶋　僕のドローイングのなかに、たくさんの穴が見えた、ってことなんですか？

いとう　基本的にですね、光嶋くんのあの絵は、ありもしない建築の絵だけど、非常に簡単に言ってしまえば、建築のなかにエッシャー的な、騙《だま》し絵と言われてしまうけど、まあ騙し絵って言ってること自体がエッシャーの捉え方としてどうかなって僕は、思うんだけど……。とにかく、僕は立体とかのことはわかりませんが、ただ、ああいうものを見たときに、普通はなにかがそこに、幻想みたいなものとして建築ができてるっていうふうに考えるじゃないですか。でも僕は、できてるっていうことと同時に、消してる感じもあるというか。ここにこう欠落を生むために描くっていうことだってあるわけじゃないですか、本当は。

　ものを描くとそこにそれがあるように思ってしまうけども、ないようにするために紙の上になにかを描くってことがあるわけですよ。文学だって、そこに何もないっていうことを言うためにわざわざ文字を立ち上げることがあるわけで。そういう意味で、それがすごく細かく出っ張ったり向こう側に行ってたりするような感じってのは、まあエッシャーはたとえばもってるでしょ。で、光嶋くんの絵にもそれがあるじゃないですか。

光嶋　せいこうさんは、僕のドローイングのなかに構築していく生きた線と、破壊していく死んだ線の両方が見えるということをおっしゃっていて、そうしたふたつの世界の行き来、言うなれば過去と未来へと向かうふたつのベクトルをもつ時間みたいなものが感じられるということですね。

いとう　おそらくその、ボコってある塊のようだけど、見てみたら向こう側にぬけてないみたいな感じが、たぶんあったんじゃないですかね。僕の第一印象に。

光嶋　なるほど、見る者にとっての建築の立ち上がり方に関わりますね。つまり、画面のなかでハリボテのように弱くも存在している感覚と、逆にそこに裏がある、もしくは、あったものが朽ちていくような感覚が同居しているという指摘に、ハッとさせられました。

いとう　紙に描くということ自体が、あることを証されることよりよほど、「コミュニカティブ」であるっていうふうに思ったんだよ。たぶんそれを「多孔性」って言ったんじゃないかな。

光嶋　いきなりズバッと本質的なところを突かれましたが、僕自身がドローイングを描くという非言語的な営みを言語化したいと思っているんです。でも同時に、言葉にできないからこそ描いてるとも思っているから、ややこしい。普段の建築設計においても、空間について的確に言葉で表現するのは、とても困難なこと。その言葉にならないなにかを模索しているからこそ、楽しい。

だからさっきの「あることを描くことで、ないことを思わせる」っていう視点は、とても新鮮でした。先週の内田先生との対話では「光嶋くんは、時間を描きたいんでしょ」って言われたことにも関係しているような……。

いとう　うーん、なるほど。いま、思いついたこと忘れちゃうから先に言うけど、時間がどうして進むのかってことを考えたときに、僕は多孔性って言葉がひとつ大事な問題になってくると思う。つまり、欠落があるからものはドライブしていくっていうか、つまり、なぜ人が時間を感じるかっていうと、変化が起こるからなんですよ。

落ちていった夕日を見たらさっきあったところにない、違うこと考えてたときに、バッて見たらさっきよりも全然こっち来てる。そういうときに、時間が起きてるって把握すると思うんですね。なにも変わらない世界があったら、そこに時間は起きないんですよ。っていうことは、つまり、「欠落を生じさせること」と「あるっていうこと」、あるとないっていうものの両方を描けば、それは原理的に、時間が普通に起きる。

光嶋　なるほど。この「時間」っていう概念は、普遍的な構造をもっているようでいて、じつのところ、すごく個別的なこと、主観的なことだからこそ面白い。これから僕たちは一時間半近くお話するわけですが、外から見たら同じ九〇分間でも、興奮している人と疲れてる人とでは、その時間の感じ方はまったく異なる。

いとう　そう、だからこの聞いてるオーディエンスの人たちのなかにも多孔性があるし、その一人ひとりのなかにも時間のなかに多孔性、たとえば欠落があり、突出があるということが起きるわけじゃないですか。で、そのことを、意外に、いまわかったけど、絵っていうのはむしろ、光嶋くんがやってるように細かく分解するとそれは自然と起きるんだね。だって風景画をドンって描いたらさ、ある一瞬を描くとか言うじゃないですか。それ一瞬なわけじゃん。だけど描いてることが細かくなってるから、こういうふうにこっち側に塔みたいなものができていったり、あっち側に違う線が違う方向に、つまり違う方向性をもつものがひとつの二次元のなかに埋め込まれるっていうか、描かれると、それぞれのなかにブツブツブツっていう時間が生じている。それが消えてってる方向に行ってるのか、そこから生えてる方向なのかは、わかんないわけじゃん。それを輪切りにしてその一瞬を見せてますけど、それは時間のなかの一瞬であるから、当然その次の時間のことを考えざるをえないでしょ。

光嶋　たしかに。それぞれの断片にそれぞれの時間が内包されていて、それは描いている僕自身の時間の幅でもあるけど、鑑賞者が読み取って解釈するための余白（欠落）にもなる。そして、その断片化された時間には、それぞれのべクトルがあるってことですね。

いとう　そう、だから、ああいうふうに多様な状態が同居しているように描く必然があるんじゃない？　つまり、建っていってるのか、崩れていってるのか本当はわからないもんね。光嶋くんの絵って。

人だけはどうしても描けない

光嶋　そんなふうに考えたことないですね。たしかに、時間ってものは、単純に過去から未来へと直線的に流れているわけではないですから。加えて、僕のドローイングには人間がいない。

いとう　そうよね。この「人間がいない」ってことは、すごい重要なことだよね。なんで人間を描かないの？

光嶋　それはまず、正直に言うと、人間を描くのが下手くそで……。

いとう　え、人体が描けないの？

光嶋　人体というか、顔というか、天使のような愛娘でも、うまく描けない。寝ているときに描こうとするも、寝ているから動かないのに、ヘタッピなんです。

いとう　描きたい！　と思ってるのに、上手くいかないんだね。

光嶋　そうなんです。描きたい！　と思っていても、人を描くのが子どもの頃からずっと下手くそだった。だから、もっぱら風景画を描くのが好きだったし、得意だった。対象が動かないから、じっくり時間をかけて観察して、自分の思い通りに紙に描くことができるんです。

いとう　それ、不思議だね。でも建築家という仕事は、もちろん空間把握能力がものすごく長《た》けてるわけじゃない。

光嶋　そうですね。見る能力とその見たものを解釈して、理解する能力は比較的に高いと思います。でも、人だけはどうしても描けない。

いとう　うーん、面白いじゃん、それ。画面のなかの構図というか、バランスが崩れちゃうの？

光嶋　どうなんですかね、バランスが崩れるというのより、やはり、自分のなかにべっとり定着してしまった「人を描くのが下手くそ」という幼少期からの呪いが解けないんだと思います。人を描くことに対して、ずっと自信がない。あと、人を描かないもっと本質的な理由は、幻想都市風景のなかに人間を描いてしまうと、風景のスケールが限定されてしまうのが嫌なんです。

いとう　あぁ、なるほどね。

光嶋　僕はドローイングが、スケールから少しでも自由であってほしい。さっきの時間の話とシンクロする部分もあるかもしれませんが、そもそも画面に人を描かないのは、人をそこに描いた瞬間、あっ、これ三階建ての建物なんだ、という具合にものの大きさがわかってしまい、幻想としての強度が弱くなると感じるんです。

いとう　うん、たしかにそう思っちゃうよね。メジャーがもち込まれちゃうからね。

光嶋　身体という基準があると、風景の見え方が常識的なものに拘束される。ジョージ・オーウェルの『１９８４』のビッグブラザーみたいに、ちっちゃい奴らだとか、巨人なんだとかって言い出したらつまらない。基本的には、スケールに対して鑑賞者の自由な想像力に委ねたい。

いとう　だから車とかも描かないんだね。

光嶋　そうですね、なるべく描かないようにしています。塔なんかも、めちゃくちゃでかい塔なのか、小さな模型みたいな世界なのかは、特定できないようにしています。

　スケールの自由度に限らず、あらゆる制約からの解放というのが、僕のドローイングを描く本源的な理由だと思っています。というのも、建築設計が集団的創造力の賜物《たまもの》であると思っていて、現場では職人たちに対して指揮者的に建築を思考し、家に戻って寝る前に一、二時間は自分のなかにダイブし、今度は作曲家的に建築を夢想するためにドローイングを描く。このひとりの時間は、あらゆる制約から解放されて、極力自由に建築と向き合いたい。

創作における構築と消失

いとう　じゃあ、あのドローイングを描くことは、光嶋くんにとって見えないものと対話したりする時間であり、そもそも全体像をまったく考えないところから線を引きはじめるってことなの？

光嶋　はい、完成予想図はおろか、描いているものの次になにをどう描くかも、まったく決めていなくて、そのときどきの思いつきを即興的に楽しみながら描いています。

いとう　そこで、その日なにを描いてしまうかってことはあらかじめ、まったくわかんないいんだよね。

光嶋　はい、まったくわかりません。

いとう　やっぱ、それがあの絵から「動き」を感じるものすごく重要な理由でもあるんじゃないかな。一番最初に全体を捉えてものを描くひとって、ゴールがわかっててそこに向かって行っちゃってるから、言ってみたら、バニシングポイントがさ、消失点がわかってる絵じゃない。だからそれは、動かないですよ、やっぱり。なぜ消失点を描くかっていうと、それを切り取りたいから。その世界を止めたいわけじゃん。「時間を止めたくてシャッターを切ってるんです」とか言ってる人いるけど。いやそんなことないんじゃないの写真って、って僕は思うけど。で、それと同じような形で。だから光嶋くんがなにをやろうとしてるかっていうと……なんて言うのかな、こう、水の沼でさ、ボコボコボコボコって泡が立ってるみたいにあらゆるところで別の時間が動くっていうか。時間っていうものや消失点に向かってなにかが成立するということ自体を確実にまず壊す。まあ、逆に建築をやってるときには、それをある程度成立させざるをえないということもあるくらいなんじゃないの。

光嶋　そうか、集団と個人、あるいは指揮者と作曲家という認識で建築とドローイングを別々に認識していましたが、いまのせいこうさんの発言のおかげで、構築と消失というふたつの時間軸による違った位相での考え方もできると思い、目から鱗が落ちました。昼間の僕が現場で建築を構築し、固めてしまっているものを、夜はドローイングのなかで溶かそうとしているのかもしれません。

いとう　夢を見るときはさ、ひとはそこから外れようとして夢を見るというか。まあ、外れざるをえないものを昼間一生懸命自分のなかに閉じ込めて生活せざるをえないわけですから。そうしないと狂気のほうに行っちゃうから。そこをやっぱり光嶋くんは、両方やりたいっていう気持ちを、ある意識でやってるんじゃないの。

光嶋　はじめての個展の際に、自分のドローイングを「幻想都市風景」って名づけて以来ずっと、そう呼んでいますが、この幻想ってなんなんだろうって、いつも考えています。見えない世界への入り口として、自分では解釈できない超越的なものを幻想的な都市の風景としてイメージしながら描いている。その完成予想図もわからず、雑多なものが同居した複雑な建築群の姿を追い求めて、セッションしてるんですよ、

恐れ入ります
切手を
お貼り下さい

〒 602-0861

京都市上京区新烏丸頭町
164-3

株式会社 ミシマ社 京都オフィス

編集部行

フリガナ

お名前　　　　　　　　男性．女性　　　歳

〒

ご住所

（　　　）

お仕事．学校名

メルマガ登録ご希望の方は是非お書き下さい。

E-mail

※携帯のアドレスは登録できません。ご了承下さいませ。

★ご記入いただいた個人情報は、今後の出版企画の参考として以外は利用致しません。

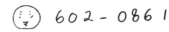

ご購入、誠にありがとうございます。
ご感想、ご意見をお聞かせ下さい。

1) この本の書名

2) この本をお求めになった書店

3) この本をお知りになったきっかけ

4) ご感想をどうぞ

＊お客様のお声は、新聞、雑誌広告、HPで匿名にて掲載させていただくことがございます。ご了承ください。

5) ミシマ社への一言

昨日の自分と。たとえば、人工的なものを描きすぎると、その反動で、植物的なものをスキマに描きたくなり、蔦《つた》のような植物を増殖していくように描いていくと、建築を飲み込んでしまったり。やはり、スケールがわからなくて不思議な存在感を醸《かも》し出したりするのを楽しむ。大きな葉っぱを描いたりして……。

いとう　植物のスケールはいろいろだから、建築と対峙する植物ってのは、ありえるよね。だって双葉のときの葉っぱと、そのあとの葉っぱと同じ種類なのに全然違う成長をしたりするからね。

光嶋　植物って記号として曖昧だから魅力的だし、重層的なことが可能になる。スケールにおいても自由だから描いていて、ものすごく楽しい。なんか綿毛のようなものを描いても、それがすごい大きかったり、小さかったりしてもなんの違和感もなく風景のなかにフィットする。

反幻想に人間は生きている

いとう　ていうかさ、またその多孔性だよ。つまり昨日はどう描いちゃったのか不思議だなと思いながら、今日僕は避雷針《ひらいしん》描くのかな、そのところに行ってまたなんか新しいレンガを積み立てたりするんだろうかなあ、ってなる。それを、ここで終わりってしてるから、ああなってるけど、本当はいつまでもやろうと思ったら一枚のなかにずーっと描く可能性があるわけじゃん。それはつまりガウディ的なもの、終わりがないものをあえて志向する。なぜならば建築でものを頼まれたとき終わりがないってことはありえない、基本的には。ガウディだって一応終わりがあるわけじゃない。ということは、あれをずっと描いたらどうなっちゃうのか。ずーっと描いちゃったところに本当は一番の「幻想」があるんじゃないのかと。

　つまり、やめるってことが唯一の「現実」だ、と。いいところでやめるっていうのは現実に、戻ってくることだから。でもその現実のなかに居ようと思ったらいくらでも居られる。まあだから、ひょっとしたらなにかをやめるってことが現実なのかもしれないよね。

　さっきの時間のことでもいいけど、なにかをやめてその瞬間ものを把握してみているってことが現実というものであって、たとえば夢を見ているとき、時間ってめちゃめちゃなものなわけじゃないですか。それは何事も止まっていないようでも止まっているようでもあるようなもので。そういう夢のようなもの、あるいは幻想のようなものだと措定すると、基本的にはそっちが先で、どうしても人は現実があってそこから離れて、じゃあお酒を飲んだときくらいに幻想を考えがちだけど、本当は幻想がごちゃごちゃ渦巻いているなかに人間は生きていて、その時間や思考を枠組みで止めるところにはじめて現実というものが現れる。そういうふうに考えるならば、現実って言わないで「反幻想」って言わなきゃいけないよね、本当は。

　リアルじゃなくてアンチファンタジーが現実であって、もともとがファンタジーなんだっていう考えがあるかもしれない。そっちの世界をのぞくために光嶋くんは描いてるんだけど、もっと言うとひょっとしたら一枚の絵を一年かけてごらんって言われたらとんでもないことになるかもしれないよ。

光嶋　それは、独創的な仮説ですね。聞いていて鳥肌が立ってきました。
　僕はずっと現実の世界で描き、その現実から遠くへ跳《と》んでみたくて、幻想というファンタジーを手掛かりにしていたつもりなんですが、最

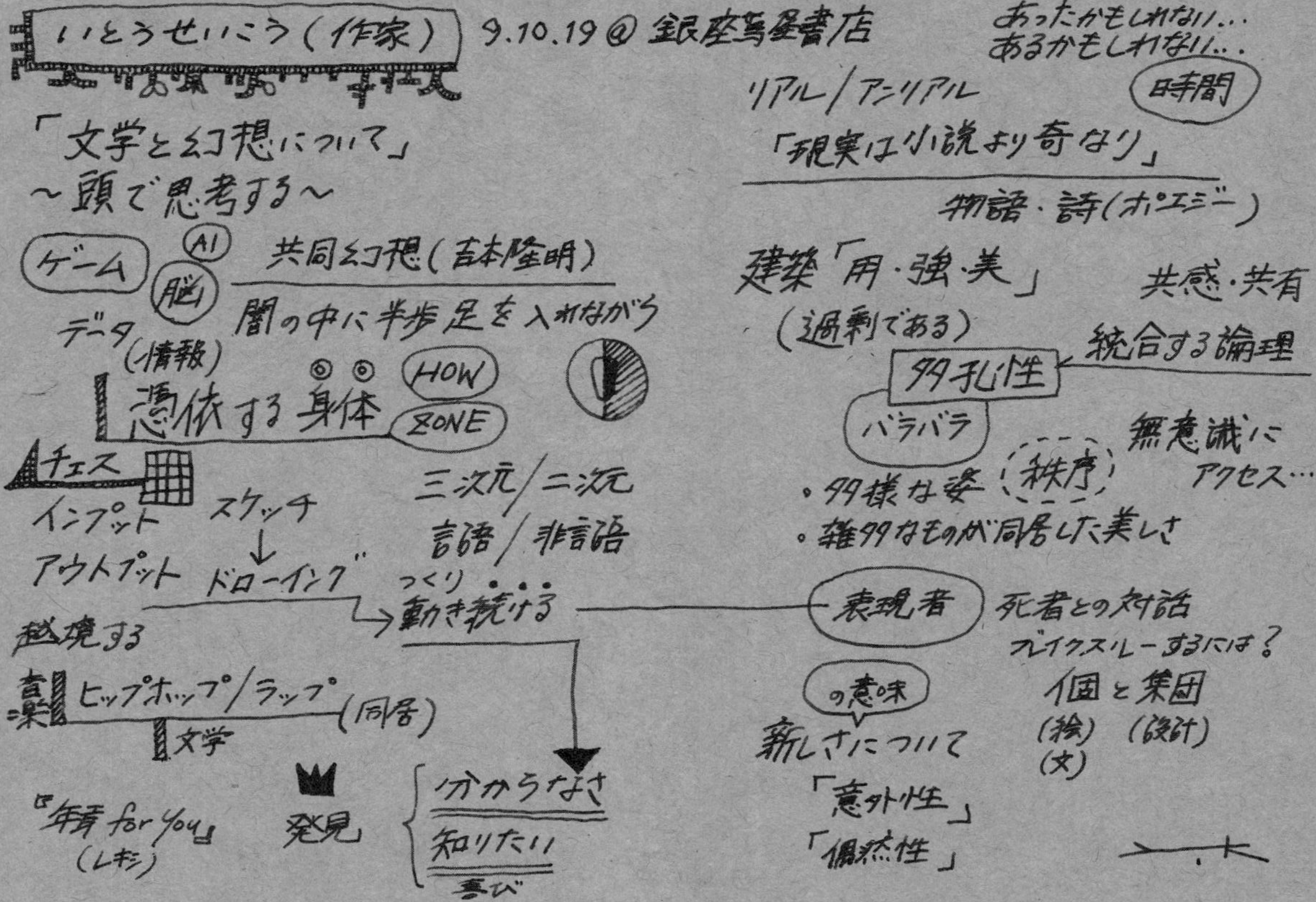
いとうせいこう（作家）
9.10.19 @ 銀座蔦屋書店
あったかもしれない…
あるかもしれない…
「文学と幻想について」
～頭で思考する～
ゲーム
AI
脳
共同幻想（吉本隆明）
闇の中に半歩足を入れながら
データ（情報）
憑依する身体
HOW
ZONE
チェス
インプット
アウトプット
スケッチ
ドローイング
三次元／二次元
言語／非言語
つくり
動き続ける
越境する
音楽
ヒップホップ／ラップ
（同居）
文学
『辞書 for you』
（レキシ）
発見
分からなさ
知りたい
喜び
リアル／アンリアル
時間
「現実は小説より奇なり」
物語・詩（ポエジー）
建築「用・強・美」
（過剰である）
共感・共有
統合する論理
多孔性
バラバラ
無意識にアクセス…
・多様な姿
秩序
・雑多なものが同居した美しさ
表現者
死者との対話
ブレイクスルーするには？
個と集団
（絵）
（文）
（設計）
新しさについて
の意味
「意外性」
「偶然性」

初に話された未来と過去に向かう時間のふたつの方向性と同じように、幻想というものに向かって描くのではなく、むしろ逆で、僕たちはずっと幻想のなかにいて、描くのをやめるという時間が止まった瞬間にこそ、ポッと現実が立ち上がるという逆転の発想は、いままで思いもつかなかったですね。

いとう　だから時間を描いて、分割せざるをえないでしょ。だって描くとこなくなるから。もうグッシャアって、ほとんど黒一色なのかなってていうくらい描いて、「これゾッとするわぁ」ってとこでさすがにもう面積がないからやめる。

光嶋　いやぁ、すごい。たしかに、ペンを止めることをやめて、永遠に描き続けたらどうなるかって考えてみたら、それは恐ろしい。ブレーキのない車を運転するようで怖い。そう考えてみると、僕はつねに描きながら「どこでペンを止めるか」ということをいつも頭の片隅に無意識的に置いているのかもしれません。アクセルを踏んでないときは、いつもブレーキペダルに足を置いている。

なにか明確に言語化できるルールみたいなものがあるわけではなく、描いていると「もういいよ」って声が静かに聞こえてくる。「これ以上描くと、やりすぎだぞ」ってもうひとりの僕に言われるんです。だから、「もういいよ」ってシグナルが聞こえたら、すぐにサインを入れます。

このサインというのは、文章でいう終止符なので、そのあとは一切ペンを入れない。もっとこうしたら良かったなぁ、こうしてみたらどうだろう、みたいな迷いは、このサインを入れた瞬間にきっぱり終わらせます。未練はなし。

でも、幻想の話に戻すと、リアルな自分が描いていているとゾーンのようなものに入って、とてつもなく気持ちよくなり、そこが現実からトリップする幻想のような場所だと思っていましたが、じつは、これも真逆で、もともと幻想のような夢見る場所にいるのに、描くことをやめることでリアルに立ち戻っていると捉えると、時間を忘れてずっと描いていられるのも、なんだか理解できる。

いとう　でも、それは危険なことだよね。精神的に大変危険なことを言ってるのはわかってる。

対話に終わりはない

いとう　いまね、光嶋くんの話を聞いてすごいよくわかるんだけど、ものを書く、文でなにかを立ち上げるってときも、まったくなにもないところから書くってのはとても面倒だし、確信がもてない。自分が書きはじめてることは単に自分のなかでだけの話なんじゃないだろうか、人に伝わったときに、なにか心を動かすなりなんなり、価値があるなりなんなりすることかどうかわからないと思っちゃうから。光嶋くんの、和紙のなかにすでに模様があったときにすごく描いていけるのは、「対話的」ってことだと思うんですよ。非常に偶然に対して対話的にすると人にはたくさんの想像が生まれてくる。純粋にものを考えたがる人たちは、いや対話的にやっちゃダメだと。自分が生まれてなんの影響も受けずに書くその詩が素晴らしいんだって言ったり、ロマンチックに考えたりする。

だけどまあ、言葉自体が借りてしゃべってるもんだから。小さい頃おじさんがしゃべってたり、誰か母親なりなんなりがしゃべったことや友だちがしゃべったことで自分の言葉ってのは形成されてるから、純粋に自分からはじまった言葉なんか一個もないわけですよ。っていう意味で言うと、僕はやっぱりそういうふうに対話的であることが、物事の根本で、そして対話っていうのは終わらないいんだよね。基本終わらないから対話なんであって、結局俺がこうして光嶋くんとしゃべってるあいだに死んでしまっても、僕が最後に言ったことから光嶋くんはなにかを言うってことで、また誰かと対話を続けられるじゃないですか。

特に文学の場合は、たとえば和歌なんかは完全に対話的にできていて、人が三〇〇年も前に詠んだ一節みたいなものを引用して詠むわけじゃないですか。まあ平安時代の和歌みたいなものの技術は、基本的に対話的にできていて、起源を問うことができない。もとは誰だったかをもう言えない。万葉集で詠み人知らずになっちゃうみたいな。そういうことが、逆に僕はものをつくるっていうことのものすごく根本的な原動力になると思う。ドライブはそういうことですよね。光嶋くんは対話が好きなんだよ、だからドローイングを描いているんだよね。

光嶋　その対話は、こうして生身の人間との言葉の対話もありますが、僕が二〇一一年から合気道をはじめるようになって、目に見えないものとの非言語的な対話も意識するようになりました。武道における「氣」というものも、目には見えません。そうした不可視なものを感じることを意識すると、建築家としては、たとえば敷地と対話すること、大地という地球とさえも心を通わせることができるというふうに思えるようになり、対話の幅がぐんと広がった。

いとう　対話のスケールが変わったんだね。

光嶋　対話のスケールが大きくなると、見えないもの、数値化できないもの、予測不能な偶然性から自分の身体を通して些細なシグナルをキャッチしようとする。自分のなかで無生物との非言語的な対話がありありと成立した瞬間をたいせつにものをつくっていくと、まさに対話が終わらない。

いとう　そう、だから対話というものの時間的なスケールも変わっていく。このスケールってのを時間的にとってみるとすごくわかりやすいと思う。ここになにかを建ててくださいって言われ、そこに行ってみたら隣に廃屋が建ってい るとか、ボコって大地が削れてるとか、さまざまなヒントがあるわけじゃない。そういうのを見たときに、その場でそのときにそこに建てるというスケールじゃないスケールもあって、それを僕は「四次元的に考える」ってことだと思っている。

たとえば、僕らがいまいるのは、GINZA SIXの六階ですよね。この銀座の一〇〇年前を考えてみるとここにどんな建物があったのか、なかったのか。いまのような六階建てではなくて、二階建てだったとすると、我々はいまその二階建てのはるか上に浮いてる状態にある。で、さらに一〇〇年前には平屋しかなかった。銀座なんてもうその辺までが海でした、というふうにも考えることだってできる。

そのときに、僕はそれこそデュシャンをテーマにし続けていたときにそんなこと考えてたんですけど、それを同時に考える。浮いてもいるし、海でもあるし、逆に言うと一〇〇年後二〇〇年後の銀座のこの場所っていうものも考えられる。そうするともっと、一〇〇階建てのものがあるのかもしれないし、日本という国がないのかもしれない。どっちなのかということじゃなくて、一挙に考える。それが光嶋くんの絵にちょっと似たところがあるよね。一挙にいろんな時間がパッチワークされてくっていうか。なぜそれを考えていたかっていうと僕はそのときずっとボードゲームのこと考えて頭がおかしくなってたんです。

デュシャンも、ずっとチェスをやっていて、フランスのナショナルチームのキャプテンだった。彼の頭のなかどうなってんのかなってことを想像すると、羽生善治とかが将棋で、二十手先、三十手先を考えるのと同じ。三十手先を考えるって本当は一個でも違ったらものすごいわけ。頭のなかがもう駒の動きだらけですよ。それを駒というよりはなにかエネルギーの本質みたいなものが動く、あるいは時間を逆に遡《さかのぼ》ることもできるというような脳が、おそらく人類には働くんだろうと。その人類の「同時に時間を捉えられる」能力をいったん切らないと社会的になれないっていうふうに人間というものはできてるんじゃないか。

それがさっきの話に急に結びつくことになるけど、もともと人間にものすごく備わってるでたらめな力みたいなものを取り戻すために幻想というものがあり、そのための絵としてああいう趣向がある。こう考えることはできるんじゃないのかな。だってさっき言ったように、できてってるのか、破滅していってるのか、そもそもわからない絵なんだから。それが細かい粒々で一〇〇年後に行ってる線と一〇〇年前に行ってる線は両立している。それは、まさに脳みそで思考するということだと思える。

脳みそがなぜか人間に与えられ、この脳みそが突出して急に伸びた。ほかの動物にできない、たとえば言葉をしゃべるとか、言葉をしゃべることによって昨日のことを思い出せるとか。残念だけど、俺は猫とか犬とか大好きだけど、昨日のことと一昨日のことは区別してないと思うんだよね。それを人間ができるのはなぜかって言ったら、そういう脳みそを突然この動物だけがもった。で僕はその進化にはボードゲームが関係してると思ってるんだけど。

光嶋　それは、たいへん興味深い考察ですね。脳みその構造、つまり人間の身体の特徴が時間の認識を可能にし、その認識された時間の方向性が複雑化していくと、思考もまた一緒に複雑化していく。そのプロセスにおいてデュシャンのチェスみたいなボードゲームが果たした役割について考える仮説が面白いですね。

いとう　ああいうものがあったってことが、人間をこうしていったんじゃないかと。まあ、ガイドのブースターみたいなもんですよね。そういうことを考えていくと、光嶋くんのドローイングとすごく結びつく。

想像力で集団の記憶にアクセスする

光嶋　いまの話のなかでも「思い出す」って言葉が何度か出てきたと思いますが、「昨日、ハヤシライスを食べました」っていうことは思い出せますが、食べたことがない料理ってものを思い出すことはできませんよね。でも、せいこうさんの小説を読んでると、さっきのデュシャンのくだりもそうですけど、これ、本当に体験したのかなぁってツッコミたくなるシーンがしばしば登場する。『想像ラジオ』ひとつとっても、不思議な体験がいっぱい散りばめられている。

いとう　死んでる人の話だからね、僕が書けるわけないんだもんね。僕、生きてるから。

光嶋　当事者しか書けないとなると、死んでるひとの話を書くには、死んでみないとわからなくなってしまう。

いとう　うん、でも、死んだことない、俺。

光嶋　でも、違うんだと。じつは、僕たちは個別な体験の記憶とは別に、きっと身体のなかに潜在的にストックされた記憶、あるいは集団としての文化的な記憶みたいなものをもっていて、想像力を働かせられたら、そうした集団としての壮大な文化的アーカイブにアクセスする方法を身につけることができるのかもしれない。

いとう　そう、やっぱり「思い出せる」っていうか、同時に思うことは可能だよね。というかそれをしてみようと思ったときに発動するなにか、快感物質みたいなものが脳のなかにはおそらく、原理的にあるんだと思う。さっき「現実」と言わずに「反幻想」と言うべきじゃないかと言ったように、もともと考えちゃうんだと思う。だって子どもの頃って、わけのわからないことばっか言ってるじゃん。一〇〇年前にあたしが食べたのはこんなじゃないとか言っちゃう。それを言っちゃうってことは時間軸を過去から現在の一本線と思ってないから。身体がひとつだともたぶん最初は思ってない。自分の右手と左手なんか別々のものだと感じてるはずなので。

光嶋　赤ちゃんはお母さんのおっぱいを自分の一部だと思ってますよね。

いとう　そう、自分の一部ですごくいいもの。自分を育ててるグッドなものだと思ってるわけじゃん。そういうふうに考えてるってこと自体が、もともと人間なんだという考え方をもつようになると、人は鎌倉時代、平安時代それどころかギリシャ、アラブにもいられるし、一〇〇年後に僕がシリアにいることをいま考えていることがありえるわけ。

光嶋　ありえるし、それを必然的なものとして自由に想像する力がある。

いとう　そうしてしまう力がある。それを社会の常識に潰されてるわけ。

憑依する身体

光嶋　せいこうさんが小説を書く際に、いろんな時間を重ねるって感覚もありましたが、頭で思考するということからもっとも遠いことのひとつとして訊いたみたいのが「憑依する身体」ということ。頭では憑依できないですよね。対話的であることは、いろんなものに憑依することでもあり、多様な物語を紡ぎ出す作法だと思うのですが、いかがでしょうか？

いとう　たしかに、僕は憑依型だと思うんですよね。ものを書くときとかワーっとなっちゃったらもう手がつけられない。たとえば、ゴールが決まってて書くタイプではないんですよ、まったく。それこそ光嶋くんの絵の描き方とちょっと似てると思う。ひょろひょろっとなにかを書き出して、すごく技術的なことになりますけど、特に十何年書けなくなってからあとの書き方は、なにかを離陸する前の状態でわざと原稿用紙の上に鉛筆とかシャーペンとかで何回も自分がこういう一行からはじまってほしいなっていう一行みたいなのを書いて直してみたりして。そうするとだんだん増えてくるじゃないですか。そうして増えてきたときに、これは離陸するなあと思ったらそこから書きはじめる。で、ある程度まで二、三枚、四枚五枚とか溜まってきたら、あ、これいけるなとコンピュータに移していって、それを構成的に直して書いていく。

光嶋　パソコンの前に手書きの段階があるんですね。

いとう　コンピュータになる前は手書き。書けない十何年のときも、手書きに戻そう戻そうとずーっとしてて、万年筆も何本も買ってみたり。だけどやっぱりワープロ一回覚えちゃうと、猿が違うこと覚えたみたいに、戻れないんですよ。だけど、やっぱりコンピュータのなかにいきなりはじまるものって、コンピュータの画面のなかにしか収まれてない。一番わかりやすく良くないのは、デリートするともとのデータが残ってないこと。ワープロというものは、もっと変わらなければダメだと思う。それこそ幻想じゃないけど、無意識がやってることだから、ちゃんとは覚えてないんですよ。で、それを本当に忘却してしまう、人間って。特に僕は忘却型なんで、手で書くということはものすごく大事なことで。線を引いて直した、さらに直したということが全部データとして残ってるのがいい。

光嶋　紙のメモを取ることで、創作のエンジンがかかるまでの痕跡が見える手書きという方法を発見されたんですね。頭が忘却してしまうのを手で書くことで忘れないようにしている。

いとう　結局書くためには、ドライブすることが大事で、どうしてもフィクション書くことに、それこそだるい感じというか、書けば書くほどこんな奴いないじゃんとか当たり前のことが襲ってくるわけですよ。それを自分で自分を騙しながらドライブしていかなきゃいけない。ドライブするにはデリートしてたらダメで、やっぱりノイズの堆積がものを生むというところもあるじゃない。

無時間のなかにいる

いとう　もうひとつ、前半に生まれた語彙で仮説的に言ってみると、「絵を描いているときには、無時間のなかにいる」ということと関係してると思うんですよね。そうでないときは、社会性もあるから、時間のなかにいると思うんです。で、時間のなかにいるときには明るくふるまえて、無時間になるときにはその明るさがいらなくなっている。そういうことじゃないですか？

光嶋　なるほど。社会の時間のなかにいるときと、自分の無時間のなかにいるときとでは、時間の「流れ」が違う。もっと言えば、時間のスピードやベクトルも違うというか、もしかしたら流れてさえいないのかもしれない。だから、そのときどきに自分の意識を集中して自我（アイデンティティ）を構築しようとすると、ふわぁっとした浮遊感があり、そこのなかにいるときだけは、時間さえ流れてなくて、明るくなったりゴキゲンでいる必要もなく、ありのままの自分になれる。

いとう　時間がそうさせてるんだね。

光嶋　こうして、いままさに社会と面していると大きな時間は流れていく。それも、比較的速い。

いとう　そうそう。時間が過ぎていくから、ある程度のこと言わなきゃなんないなっていうこともあり、まあとりあえずゴキゲンな話もしとかなきゃってなるけど……。

光嶋　これがミシマ社のオフィスでちゃぶ台を囲みながら二人だけの密室対談であれば、きっと違うものになりますよね。こうしてオーディエンスの前の繰り返すことのない一回性のライブだからこその面白さが絶対にある。

いとう　それはだから単純に、時間が流れるか、流れないかっていうことの違いっていうふうに見ると、明暗でない可能性はあるから、それはそれで面白いよね。そういうふうにみんな普通に考えれば、無時間的である時間をなかなか人はもってないと思う。だからイライラしちゃう。だってそうじゃないときに、ぼーっとしてる空間があったりしたら、土手かなにかで青空眺めちゃって、ぼんやりしちゃって、寅さんみたいなことになっていれば、べつにものが落ちたってニコニコしてるんじゃないの。

光嶋　怒るのだってエネルギーいるから、わざわざ怒らないかもしれないですね。

ゾーンに入るための嗜好品

光嶋　ちなみに、さっきの憑依についてこれをやるとあそこにいけるみたいなせいこうさんならではのルーティンって、あるんですか？

いとう　あるある。書く前にチョコレートをひとつ食べるっていうのはあるよね。どうも山田詠美《えいみ》さんもそうらしいんだけど、脳に糖分がないとガツンとこないので。

光嶋　えっ、そんなダイレクトにフィジカルな話なんですか。

いとう　俺は中東のゴディバって言われている「パッチ」っていうのがあるのよ。これがやたら美味いわけ。俺にとってはだけど。一応ハラルしてあるらしいんだけど。前は香港に売ってたから、香港までほとんどそれを買うためだけに行ったりもしていたくらい。いまは国境なき医師団とかで取材しているから、わりとドーハとかの空港に行くんですよ。ドーハには売ってるわけよ。もうガッツガツに買って。それをちょっとずつ食べていくんですよ。いまはしばらくフィクションが嫌になっちゃってノンフィクションのほうに入っているんで、そんなに集中力はいらないけど。相手がいるし、メモしてあるし。

光嶋　フィクションとノンフィクションによって、同じ書くというフィジカルな行為でも、違った感覚になるのは、興味深いですね。僕の旅のスケッチと、深夜のドローイングとでは、紙に向かって描くといっても違うのと似てますね。つまり、ノンフィクションのときって憑依する必要はないですよね。

いとう　必要ない。それを上手に書くっていうことのみで。ある程度の無時間っていうのはあるけど。むしろ構成的な自分でないと、自分の主観だけが走ってしまっても良くないのでそうなりますよね。そうじゃなくてフィクションは、どっぷりいかせてくれる、自分をドライブしてくれる、そういうなにかが確実にありますね。

光嶋　そういうフィクションのために憑依していく、ダイブしていくときに、最初にあるのは、せいこうさん自身が気持ちいいという体感ですか。自分の身体的感覚として、ゾーンに入った、無時間的になったことは、すぐわかるものですか。

いとう　そんときは気づかないじゃん。なんならすぐ入るよね、毎日やってたら。ある程度キリのいいところまで戻ってこないでしょ、脳みそが。不思議なもので、キリのいいところでポンって戻ってくるんですよ。「コーヒー飲もうかな」って思っちゃった時点でじつは終わっているんだけど、脳内麻薬はまだ残滓《ざんし》があるから、三〇分くらいまだなんとなく前に戻って、てにをはを直したりとかしているうちに、麻薬成分がなくなって、部屋から出てくるみたいな。そのときが気持ちいいんだよね。あっ、て思ったらもう三時間経ってた、って思うことが気持ちいいんだよ。「いってたんだ〜」っていう。「あ、ゾーンに入ってたんだ！　俺」っていうのが気持ちいい。

集団で突破することの面白さ

光嶋　僕はたぶん今後せいこうさんが言ったこの「無時間」ということをいろんなひとに言っちゃうと思うんですけど、許してください。

いとう　あははは。それは僕よく例に出すんだけど、夏休みが終わったあとの子どもの発表という話を聞いたことがあって、夏休みのあいだに隣の友だちがニューヨークに行ったとか聞くと、もう自分の体験みたいにして発表してい るらしいんだよね。ニューヨークに行って、ものすごくいろいろ買ってもらったんですよと。行ってないよな？　あいつって。子どもって、そういう記憶を共有しうるものであるし、いわゆる共身体性とか、他人とブリッジしちゃうわけです。それでどっちがどっちかわからなくなっちゃう。

光嶋　そっか、子どものほうが自由な想像力を駆使して、素直にミラーニューロンが働くんでしょうね。

いとう　そうそう、そういうもので、本来は切り分けなくていい。体験って、だから豊かだし。そういう効果が人間のなかになければ小説なんて書いても意味ないですよ。ほかのひとの人生書いてあるのに、共感できないじゃん。俺はあんまり共感をさせるために書くタイプではないけど、それにしてもこういう人生もあったのか、こういう考え方もあるのかということに刺激を受けてほしいし、それを見ている視線の俺と同じ側に回ってほしい、回るようにテクニックを使うわけじゃないですか。それこそ時制を使うんですよ。それを過去にするのか、どのぐらい現在形でいくのか、時間の操作が小説にとってものすごく大事なテクニックなので、それをやって、ひとをはめるわけ。そういう意味で言ったら「個の時代だ！」というふうには言っているけど、あんまりそれを言っても人間の能力はないでしょ？　って。

やっぱり集団で突破していく。だから建築なんですよ。集団で突破していくことの、面白さは断然あるよ。だから演劇も集団で突破するし、映画も音楽も集団で突破しますよね。ただ、集団で突破することもやっていると個人の時間も欲しくなる。だから光嶋くんは家に帰って、絵を描いているし、俺はひとりでわけわからない文章を書いていると、頭がガーンってしてきて、きたきたって。それが必要なんだよ。

光嶋　だから個の時間としての経験が身体にアーカイブされ、そうしたものから多くのフィードバックを受け取ることで、集団とのつながりを強化していく。言葉を換えたら、社会に貢献していく可能性を広げる。せいこうさんは、いま俳優というか、主演映画もやっていらっしゃいますけど、そうした個としての時間が対話的であり、たくさんの穴にひらいていく多孔性が、集団でなにかを創造するうえでとてもたいせつな姿勢であることが、とってもよくわかりました。

創作活動の宛先

光嶋　最後に伺いたいのですが、せいこうさんのあらゆる活動は、いったい誰に向けられているんでしょうか？

いとう　そりゃ、もちろん、自分です。ただ、さっきから言っているように、その「僕」という個は、やせ細った個じゃないよね。

光嶋　未来のせいこうさんかもしれないし、昔のせいこうさんかもしれないと。

いとう　漱石ってあそこがかっこいいんだよねって誰かと話したときの自分とか。そういうときの自分ってそのひとでもあるわけじゃないですか。だから自分が好きだ！　という小説を好きなひとに珍しく会って、いやいいよね～新作が今年出るらしいよ、って言っているときの俺とか。そういう本当に自分が素晴らしいと思うひとたちの、甘美な気持ちさえするほど好きな、それは音楽でもありますけど、そういうものの、その俺が、これは違うだろと。このシーンはファンタスティックに書かなきゃいけないじゃん、なにリアリズムで書いてるのとかって。これはぶっとばしちゃおうとか思うわけですよ。そういうたくさんのひとが通った状態の自分ですよね。だからひとつ間違えると、「いや自分のために書いているんですよ」というそのひとりの自分がものすごくガチガチの場合があるんですよ。

光嶋　巨大な自我の塊みたいな。

いとう　そういうひとの私小説を読まされても、なんだよ、やばかったこと自慢じゃん、みたいなことがあるわけ。もっと風通しのいい、たくさんの小説が駆け抜けているなかで、やっぱりあのシーンのあの書き方がかっこよすぎる、漱石の『門』のなかに自分と誰かの影が壁に映っているシーンがあるんですよ。それは意味もなくかっこいいわけ。それを奥泉光《ひかる》さんと話していて、ここがもうかっこいいんだよ、門ってここの場面を指す言葉なんじゃないのとかいうことを僕らは言っているんだけど、そういうある種の美意識みたいなものを共有しながら、お互いを捨てて、やっぱりいいんだねと思いながら生きていると、そのフィルターが選ばせますよね。文章を。

光嶋　どんどん混ざり合って、複雑化していく。

いとう　そう、複雑になってきて、これ違うな、ここはやっぱり時制を狂わせて、ひとが読んだときにおっと思わせてドキッとさせるでしょ、とか。これは二行書きすぎちゃったな、という感じでバッサリ切って終わると、うわっきたっとかさ。

光嶋　それは、憑依とはまた違って、どこか変幻自在に対象と同化していく感覚というか、想像の解像度を上げると自由になって、男性が女性にもなれるし、四〇歳のひとが自分の経験してきた過去を想像して二〇歳の物語が書けるように、じつはまだ経験していない九〇歳の文章だって書けるよってことですね。

いとう　うん、書きたいよね。一〇〇年後の銀座と、一〇〇年前の銀座に同時にいられるのが人間の脳の最大の可能性なのであれば、それをただ、光嶋くんがやっているように絵というのは……。

光嶋　ひとつの画面にすべてがアーカイブされていく。

いとう　そう、ひとつの面に集約されて、どこから見てもいいじゃないですか。でも、僕たち散文家は、日本語なら基本的に縦に読んでいかないと意味がわからないですよ。

光嶋　逆からは読めないですよね。たしかに、文学のほうがそうした言語の構造的な制約がズドンとあるんですね。

いとう　そう、これは本当につまらないよ、やってて。なんかだっせーな、という。まあ一文のなかに違う時間を入れていくというようなことを技術的にはできるけど、そのことで果たして読んで面白いのかはまた別だから。つねに別ジャンルに嫉妬しているというのは全員そうじゃない？　音楽家は、小説家に嫉妬し、小説家は建築家に嫉妬し、建築家は画家に嫉妬するみたいな……。

光嶋　だからやっぱり、対話的にいろんなことをやってみて、想像すること、創作することを続けるしかない。そして、僕にとって、このやり続けるためには、ハッピーであること、つまり、ゴキゲンでいられることが重要なのではないかというのが、現時点での仮説です。そのためにやっていることは、意識的にイライラしない、自分と他人を比較したり、執着したり、嫉妬しないように、自分の身体感覚や心の声に耳を傾けること。合気道のお稽古がそれを可能にしているように思っています。

千本ノックのあとの余韻

せいこうさんとの対話は、厳しいコーチにグラウンドでひたすら千本ノックを受けているようだった。右へ左へ飛んでくるスピーディーな球に汗だくになって飛びついていた少年時代の淡い思い出がよみがえる。脳みそフルスロットルでの言葉のキャッチボールは全方向に脱線してもスリリングそのもので、驚きと共感、学びに満ちていた。昨夜の対談は、わたしにとって凝り固まった常識を根底から揺さぶるような気づきがたくさんあり、とても贅沢な時間だった。

わかったことのひとつは、いとうせいこうという作家は、果てしない宇宙を自身の脳内に、いや体内に内包しながら、すべてに遊びがあるということ。そして、その多様なアウトプットを可能にしているのは、ご本人がいつだって未知なるものに対するセンサーの感度が高く、絶え間なく変化し続けていることにあると思った。なんでも面白がることと、なんでもウェルカムな許容度が異常に高いのである。

わたしのドローイングを見て放たれた「多孔性」という言葉から対談は大きな実を結び、そこから「対話的」であることや、合気道における「同化的」であることなどへと議論が目まぐるしく流れていった。昨夜の対談でも名前が挙がった芸術家のマルセル・デュシャンが半生を振り返るインタビュー『デュシャンは語る』（ちくま学芸文庫、一九九九）を読み返してみると「作品をつくる者という極があり、それを見る者という極があります。私は、作品を見る者にも、作品をつくる者と同じだけの重要性を与えるのです」（一四三－一四四頁）と書かれていて、驚いた。

加えて、美術評論家の中尾拓哉が書いた『マルセル・デュシャンとチェス』（平凡社、二〇一七）にも次のような箇所をみつけた。

芸術は「意図」からはじまり、美の次元ではなく「一連の努力・苦悩・満足・拒否・決定」という「闘い」を通じて「表現されなかったが、計画していたもの」と「意図せず表現されたもの」との間に生じてくるとされる。ゆえに、「創造行為」の連鎖反応は意図と一つながりではなく、その環が欠けていることになるのである。こうして

つくり出される＝引き出される「芸術作品」は、最終的に「鑑賞者」によって「精製」されるものとなる。

（三〇五頁）

つまり、芸術はつくるだけの一方通行では決してなく、見られることの双方によって交わされるやりとりがあって、はじめて成立するものであると。そのためには、やはり作品に明確な宛先があり、他者へとひらかれていること、対話的であることがつくり手としてたいせつな態度であることを再認識させられた。

その宛先は、なにも同時代のひとに限らず、過去の誰か、あるいは未来の誰かであってもいいはずだ。誰か（作家）が、なにかを誰か（鑑賞者）のためにつくるということは、なにも芸術家だけに与えられた特権ではない。

たとえば、人間の命に関わる衣食住に目を向けると、家のなかの家事ひとつとってみても、母のつくる料理が家族のためにあるような関係もまた「つくる」ことの本性をたしかに表している。家事が成立するのは、母が子のために行為するからであり、それを享受した家族もまたそれに応えることによって、つくる行為が循環していく。そのとき、宛先が当人であることもあるが、意識のなかでは、過去や未来へと広がることが可能であり、広い意味での「つくる」という営みがもつ時間に幅が生まれ、サイクルが多次元になっていく。

時間といえば、昨夜もっともアドレナリンが放出されたのは、「幻想と無時間」を巡って交わされた対話の瞬間だ。ちょうど先日わたしが（その強烈なタイトルから）手に取ったイタリアの理論物理学者カルロ・ロヴェッリの本と内容がびっくりするほどシンクロしているので、ここに紹介したい。

何も変わらなければ、時間は流れない。なぜなら時間は、わたしたちが事物の変化に対して己を位置づけるための方法、勘定した日にちと関連づけて自分たちの位置を定める手段なのだから。時間は変化を計測したものであって、何も変化しなければ、時間は存在しない。

『時間は存在しない』（ＮＨＫ出版、二〇一九、六七頁）

壁に掛かった時計という機械が刻む一分一秒という時間は、なにも全世界共通の普遍的な時間ではないと言う。じつのところ、時間というものは人間がそれぞれ固有に生み出しているのではないか、という大胆な仮説がこの本で丁寧に検証されている。

せいこうさんが「幻想と現実」、「無時間と時間」を対にして語られたことで、創作することの秘訣や本質が垣間見えたようにわたしには感じられた。それは、どういうことか。

なにかを創作しているときにゾーンに入ることは、つくり手の時間感覚が変化していることであり、それを自らコントロールすることができるのではないか、と指摘されたのである。自分では制御できない時間の流れが速くて慌ただしい現代社会のリアルから離れて、自分だけの孤独だけれども、心地よい「無時間」のなかで制作に没頭する。そんな止まっているかのようなスローな時間のなかだからこそつくる喜びにどっぷり浸ることができるのかもしれない。

ここで「ゾーン」と言っているのは、アメリカの心理学者チクセントミハイが説くフロー体験と同義である。チクセントミハイは、フロー体験を以下のように定義している。

> 一つの活動に深く没入しているので他の何ものも問題とならなくなる状態、その経験それ自体が非常に楽しいので、純粋にそれをするということのために多くの時間や労力を費やすような状態
>
> 『フロー体験 喜びの現象学』（世界思想社、一九九六、五頁）

こうしたフロー体験は「経験の質」を向上するものであり、日々の日常生活を充実させて、人生を豊かにするものとして「最適経験」を重ねることをチクセントミハイは、膨大なアンケートやインタビューから導き出したのだ。

――フロー体験によって自己の構成はそれまでよりも複雑になる。しだいに複雑になるこ――

とによって自己は成長するといえるだろう。複雑さは二つの大きな心理学的過程、差異化と統合化である。

（同、五二頁、傍点は、原文のまま）

こうして自分のフロー体験を自覚し、それが自らの生活の質を向上していく実感が芽生えると、つくる喜びや達成感があり、さらに最適経験を重ねるように自然と努力するという、ポジティブなスパイラルに入ることができるようになる。この差異化と統合化を重ねていくなかで、ときに矛盾するようなことがあっても、無理やり白黒をはっきりつけようとするのではなく、曖昧な濃淡のなかで考え続けることで自分が複雑になって成熟へと向かう。そのような多孔性をもった状態になることができれば、対談でも話したように、ガウディの言う「完成を急がない」ということの意味がありありと理解できるようになるはずだ。それは、「対話には終わりがない」という継続性の問題にも展開していく。

また、この継続性を獲得するためには、やはり達成感や喜びが伴っていないといけないし、フローによって遭遇した偶然を促える寛容な心が大事になってくる。デュシャンが言うように、芸術には「意図せず表現されたもの」が存在するからだ。あらゆる偶然性を楽しむゆとり（欠落）があってこそ、また、心身が健全な状態であってこそ、ひとは過去の成功体験に執着することなく、自在に変化することを恐れず、植物が太陽に向かって葉を伸ばし、大地深くに根を張るように、変わり続けられる。

せいこうさんを見ていると、つねに自分が面白いと思っていることを遊びながらやられているし、上達するための努力を決して惜しまない。いつだって「対話的」であるから、他者にも感謝され、達成感も味わうことができているように思えてならない。だから、またつくり続けることができるのだ。

はじまりには「わからない」という挑戦があり、深く追求する知的好奇心がエンジンとなってドライブする。故にひとは、わかりやすさを手放すと考え続けられるのだろう。そこから無時間という楽しいフロー体験に突入し、なにかを絞り出すようにして創作するから、喜びが循環する。なにかをずっとつくり続けることができるということは、自分自身がどんどん複雑化していくことに等しいのだ。

変化し続けるということは、学び続けることと同義であり、それは生命をモデルとしている。もしくは、人間の身体をモデルにしていると言っても良いだろう。

ある入力によって出力する「機械」をモデルにするのではなく、予期せぬ方向にも出力できるような自由な進化は、「生命」をモデルにしたほうが良さそうだ。身体（生命）にとってこの変化し続けることが、学び続けることだとしたら、それはまた、つくり続けることをも可能にする。効率（機械）と対極的なところにある想像は、無目的と親和性が高く、想像力を発揮するには、膨大な無駄を受け止める余白（欠落）をもつことが鍵になってくる。

泥のついた野菜を洗い、丁寧に切って、美味しいスープを仕込むことができるのも、食べてくれるひとの笑顔があるからだ。そうやってみると、わたしたちの日常の命の近くには、なにかをつくるための種子がいっぱいあることに改めて気づかされる。

だから、わたしは自分自身の内部をしっかり観察し、つくり手としてのささやかな「喜び」をなによりも大事にしながら、これからも孤独な闘いとして、ドローイングをハッピーな気持ちで無時間のなか描き続けたいと思っている。多孔性に思いを馳せて。

第４章

手で思考する

三きょうだいの真ん中同士の対談前夜

写真と映画、漫画とアニメ、止まっているものを動かすことは大変だ。映画は通常一秒のなかに二四コマの写真が高速回転していることで動いている。わずか五分のシーンでも七二〇〇枚のフィルムを要する。イメージが動くことによって表現の網からこぼれ落ちていた時間が取り込まれて魂のこもった物語が立ち上がる。

手で何枚もの絵を描いて動かしてみせる現代美術家の束芋さんとは、いきなり意気投合した。はじめて会うのにどこか同じ匂いがした。ご本人は（失礼な言い方になってしまうが）とても普通というか、クラスにいる聡明で可愛らしい女性という第一印象だったので、あの強烈な作品群とのギャップに肩すかしを受けたのだ。けれども、お互いが三兄弟の次男と三姉妹の次女という育った家庭環境が似ていることが判明し、強い親近感のわけに妙に納得した。

　育ってきた環境と一口に言っても場所性（土地柄）や時代性があるけれど、家族構成というものは、そのひとの人間性にひときわ強い影響力をもつように思う。三兄弟の真ん中というのは兄と弟の両方がいて、同時に兄と弟でもあるため、それぞれ両方の立場がわかるという利点がある。むかしは喧嘩もいっぱいした。兄にいじめられるから、腹いせに弟をいじめては、また兄にやられるトム・アンド・ジェリー状態。その両方の気持ちがわかる分だけ、徐々に要領が良くなってくるのも自覚している。

　兄弟で「はじめて」なにかをするのは、いつだって兄なので、わたしは兄が踏んだ道をうしろから良いところだけを真似して、悪いところは避けて違った道に（自分なりに）正しいと思う方向へと進んでいくという具合に軌道修正しながら選択できるのだ。

　そうした要領の良さを「真ん中気質」としてある種のオーラみたいに自然と発するのか、いつしかそれを感じ取ることができるようになっていた。そして、わたしのセンサーは、東芋さんのそれをキャッチし、傾蓋故《けいがいこ》の如《ごと》し意気投合したのである。

　そんな東芋さんとは二〇一四年にお手紙を書いて、対談をさせてもらったのが初対面である。学生時代にバックパッカーとして世界中の建築を見てまわったひとり旅についてまとめた拙著『建築武者修行〜放課後のベルリン』（イースト・プレス、二〇一三）の刊行を記念して対談をお願いしたところ、快諾してくれた。この初対面対談は、東芋さんが本を楽しく読んでくれたこともあって、旅のあれこれについて、世界を自分の目で観察してスケッチすることなどについて、広く深く話題も展開し、あっという間に終わってしまった。会場からの質問も多く、大幅に時間を延長して盛り上がったのをよく覚えている。

そもそも束芋さんに会ってみたいと思ったのは、学生時代に《にっぽんの台所》（一九九九）というなんとも不思議なアニメーション作品を観て衝撃を受けたからだ。彼女のうみ出す独特な世界観は、それまでに観たいかなるものとも違って、フラットな浮世絵がねっとりと動き出す面白さがあり、すっかり虜となってしまった。

浮世絵と述べたが、実際に束芋さんは葛飾北斎《かつしかほくさい》の色味を引用して作品に着色していて、その印象もあって、時代感覚が古いということも独自の世界観を支えている。描かれている線のタッチは筆で描かれた勢いのあるもので、つい見入ってしまう。カクカクした決してなめらかではない不自然なリズムで動くために不気味さが増長され、注意深く見ているとドキッとするシーンが随所に挟まれていたりする。一度見たら忘れられない作品なのだ。

吉田修一氏の『悪人』（二〇〇六）の挿絵を描いた仕事にも、束芋さんの特徴である指や腕、脚といった人間の身体の部位が強調されていて、文学が構築する世界観をイメージの力でより際立たせることに成功している。

とりわけ深く印象に残っているのは、横浜美術館で行われた《断面の世代》（二〇〇九）という大規模な展覧会だ。そのタイトルの通り、世界を鮮やかに切りひらき、その切断面を見せていく。惜しみなく表出された束芋さんの独特な世界観が、観客を魅了する圧巻の展示にショックを受けるほど感動した。

そのグロテスクでねっとりとした映像作品のなかにすっぽり包まれるようなインスタレーションは、まるでもうひとつの世界（パラレルワールド）を可視化しているように感じられ、会場のなかをゾワゾワしながら不安げに歩いていた。美術館をあとにすると、駅のホームや電車から見える何気ない日常の風景がどことなく薄っぺらい仮のものとして感じられるようになっていて、どこか浮遊するような気持ちになった。自分の世界の見方を変容させるインパクトがある展覧会だった。

ほかにも、いまはもう閉館してしまった青山の円形劇場で舞踏家の森下真樹さんと束芋さんがコラボレーションした《錆からでた実》（二〇一三）を観たときも、その自由さに舌を巻く。舞台上で踊り手の身体と映像とが絡まり合い、芸術の見事な融合を見せつけられた。

既存の枠に決して収まらない束芋さんの作品をクリアカットに言語化するのは難しいが、いつだって見たことのないものを見せるその自由さが最大の魅力である。そうか、その手があったかといつも驚かされるのに、それが必然的な表現であったと思わせるからすごい。絶対に自己模倣せず、つねに新しい表現に果敢に挑戦し続けるその苦悩の痕跡みたいなものが、スクリーンに映し出されるイメージを動かすために描かれたであろう膨大な線の重なりとしてずっしりと作品に感じられる。

五年ぶり二度目の対談を束芋さんにお願いし、実現することになった。毎年の年賀状交換はするものの、なかなか会えなかったので、お会いするのも久しぶりだ。なんだか真ん中気質の親近感のせいか、遠い親戚と再会する気分である。今回は、本の出版ではなくて、わたしの描いた幻想都市風景のドローイングを観てもらえるのも嬉しい。

赦す・ゆらぎ・死

束芋との対話

もともとはデザイナーになりたかった

光嶋　今日は「手で思考する」というテーマで話をはじめたいと思います。

東芋　どうぞよろしくお願いします。

光嶋　まずは「アートと芸術について」という大風呂敷を広げてみたいのですが、僕はドローイングを描く建築家です。建築家としての仕事は、つねにクライアントから依頼されて設計をするという順序で成立し、集団的なクリエイションとも言えます。対してドローイングは、個としての表現行為であり、自分と向き合う孤独な時間です。描いている時点では、ドローイングに、クライアントはいない。絵を描くことが芸術だとしたら、アートと芸術って、どんな違いがあるんでしょうか？

東芋　私はアートも芸術もじつはよくわからないんです。自分がいまこうして活動しているのも、アーティストになりたいと思って、それを目指して絵を描いて認められたというキャリアではなく、たまたまアートの世界に拾ってもらい、活動を継続させてもらっているという感覚です。

光嶋　ずっと第一線で活躍されていても、そういう感覚なんですか。

東芋　そうですね。光嶋さんの場合は、自分が源となって、自分の時間で、自分で描くということがあると思うのですが、私はあまりそういうのがないですね。機会も、お金も、場所も与えられてやっと「じゃあやろうか」という感じなんです。

光嶋　依頼されてから創作がはじまるのはなんだか建築家的ですね。

東芋　つくるうえで建築家やデザイナーのお仕

事とは違い、なにか制約に縛られていたりするわけでもないので、もっと自由になれます。

光嶋　横尾忠則さんが新聞のインタビューで「デザイナーから画家に転向した」っていうようなことを言っていて、商業イラストレーターから世界的アーティストになったアンディ・ウォーホールともどこか重なるところがある。東芋さんのいまのお話だと、デザイナー的な働き方をしていることになりますね。

束芋　じつは、私はもともとデザイナーになりたかったんです。就職活動のときは、グラフィックデザイナーを目指して就職先を探していました。なかなかうまくいかず夢破れていたときにアーティストとしての活動の場を与えてもらったので、それをまずは精一杯やっていました。それでもまだデザイナーになりたいという気持ちを引きずっていて、数年間はグラフィックデザイナーになるために、努力してましたね。

でも、「こういうデザイナーになりたい」と自分が思える人に出会ったときに、同時に「こういうデザイナーにはなれない」って思ったんです。そこからですね、アーティストとして一本で頑張ろうってやりはじめたのは。その段階では、贅沢なことにアーティストとしての活動の場は与えられていて、それをとにかく精一杯やれば次の話がまた来て、ということの繰り返しでいままでやってきました。

光嶋　いままでずっとコミッションがあって、ここでこういう絵を描いてほしいとか、こういう展覧会をやってほしいというオファーが最初にあって、それに向けて最大限頑張り続けるというスタイルで制作してこられたということは、逆に「こんな束芋展やってみよう！」っていう内発的な欲望は、あまりないということですか？

束芋　いままではそういう欲望はあまりなくや

ってきましたね。ただ、舞台作品に関わりはじめて、これまでとは違う、それこそ建築家のように集団でやる仕事の面白さがあると感じています。そこにはプラスの面だけではなくて、もちろんマイナスの面もあるのですが、美術家としての活動とはまったく違った方向で作品にアプローチしていく感じがありますね。それを経験したときに、チャンスがまだない状態であっても、自発的に、どこで、どういうふうにやるかということを構築しはじめたんです。

もともと私は、自分のなかに表現したいものがあって、泉のように湧き出てくるそれを形にするというつくり方ではまったくないんです。本当にカラカラの雑巾を絞るように一滴なにか出てきたらいいなと思っていて、そういうカラカラの状態からなんとか出てきたものを取り出しては、それを叩いたりのばしたりしながらやっている感じなんですよ。

光嶋　その感覚はアーティストとしての活動をはじめた比較的初期の頃からですか？

束芋　そうですね。私みたいなタイプは少ないと思います。普通は湧き出るものを表現したり、継続的に表現したいものがあるからつくる。でも私の場合はそうではないので、自分が芸術家、美術家と名乗っていいのかという躊躇《ちゅうちょ》はあります。

光嶋　そこに葛藤があったんですね。

束芋　もともとデザイナーになりたかったというのもありましたし、自分の考え方ややり方からしても、これは美術家って言うのかなという気持ちがありました。

自分を驚かせるかどうか、という基準

光嶋　作品をつくっているときに満足いくか、

いかないか、あるいは納得いくか、いかないか。その感覚は、主観的で束芋さんの身体性に依存しているものだと思うのですが、なにか明確な基準みたいなものはありますか？

束芋　そうですね、納得いくという段階では気がすまないといいますか、自分で自分を驚かせられないと、やれたとは思わないです。だから、たとえば自分が高い技術をもっているもので表現するということに対しては、そんなに興味がないんです。それよりも、技術がなくて、どうなるかわからないくらいの不安がないとつくれない。不安があれば驚きに変換される可能性がありますしね。自分の頭のなかでイメージできる程度のことを表に出しただけではなんの面白みもないことは自覚しています。だから「こんなものが生まれたか！」という驚きとともに、頭のなかとは違うなにかが現実的に立ち上がったときにはじめて、達成感が生まれるんです。

光嶋　自分を驚かすというのは、とてもハードルが高いですね。束芋さんは、インスタレーションとか、アニメーションとか、表現方法を自由に展開されていますが、やはり「ドローイング」という手で描くことって、大きいですよね。

束芋　そうですね。

光嶋　描く行為は、技術としては、描けば描くほど上手くなると思うんです。でも、技術的に上達して、絵が上手くなったとしても、作家としての自信の根拠にはならないということですか。

束芋　そうなるとたぶん飽きると思います。最近、油絵を描いたんです。まったく形が見えていないときから「油絵を発表する」ということを決めて、そこを目指してやりました。それこそ油絵なんて、とにかく上手くないとダメだと思っていたんです。油絵は、そういうことがあったんだって信じ込ませるくらいのリアリティが絵のなかにあったり、逆に現実とは離れてそこに塗り込められていく時間や、空間にその面白さがある。だから上手くないといけない。でも自分で描いてみると、いままでとはちょっと違う感覚がうまれたんです。

光嶋　その作品はもう発表されたんですか？

束芋　今年（二〇一九）の五月に発表しました。

光嶋　どういうふうにつくっていったんですか？

束芋　まず展示する際の家具のレイアウトを決めて、家具を配置したあと、そこにどのように展示するか、どういう絵を描くかということを考えていきます。だから結局はじまりはインスタレーションなんです。

光嶋　油絵を描くにしても、そもそもの展示される空間から先に考えていくんですね？

束芋　そうですね。

光嶋　それもやはり、まず依頼があった？

束芋　はい。個展の依頼があってはじめて、油絵を描こうと決めました。

光嶋　個展の依頼を受けて、自分を驚かすような面白いことをしようと考えていたら、新しく油絵に挑戦してみたくなった。そして、どんな油絵を描こうかと考えていくと、空間から思考していくというプロセスになるというのは、すごく興味深いですね。

束芋　自分で描いたとは思えない展開になっていったんです。それが面白かったんですが、だんだん油絵が上手くなっていったら、面白くなくなるのかなって思っているところです。

自分を赦す

束芋　技術が成熟してきた先に、いったんその技術を手放して、まったく自由にならない別のものを使うというのは多くの美術家がやっていることだと思います。

私が油絵をやろうと思ったきっかけのひとつはフランスです。私はフランスという国が好きではなかったので、その不得手な場所にとにかく三カ月間行ってみたんです。その間に美術館に行き、壁いっぱいに油絵が飾られているのを見ました。驚いたんですが、何年も美術館で保管され、愛されてきたもののなかには、意外にもそこまで上手くないものもありました。その作品が魅力的ではないかと言われるとそうでもない。やっぱりそこには愛されるなにかがある。「ああ、上手くなくてもいいんだ」ということをそこで感じたんですね。

自分が描いた原画を油絵にしたいということは少し前から考えていて、上手い人に描いてもらおうと思っていたんですけど、まずは自分で描いてみようと思ってやってみました。そしたら油絵を描くという行為そのものが面白かった。上手くなくてもいいと自分で決めれば、あとは赦《ゆる》すだけじゃないですか。

芸術家であることって、自分のことを「赦す」ことな気がするんです。正直、いままで私が描いてきたものには、ひとを傷つけるような描写とか、非道徳的なものもあったりします。それでいろいろ周りから言われたこともももちろんあります。でもそんな自分を赦しているから、それが作品として出ていく。普通の生活では嘘をつくこともありますけど、やっぱり表現をするうえで決めているのは、絶対に嘘はつかないということなんです。

自分が感じたことがどんなに非道徳的なことであっても、それを形にして表現することを赦していて、だから技術の面でも自分を赦しさえすれば表に出すことができる。基準はひとそれぞれだと思いますが。

光嶋　なにをどのように描くのかわからないところから出発して、描きながら発見していくと、自分でも驚くような意外な作品がうまれそうになったり、やっぱり納得いかなかったりと葛藤を繰り返しますよね。そこで自分を赦すということは、それまでの基準や価値観を一旦壊してから受け入れるってことですか？

束芋　作品を発表したあとには、それが自分から出てきたものだという感覚は私のなかではなくなっているんですよ。だから、できあがった作品に対して赦すとかではなくて、発表されたものに関しては自分がいちばんのファンになっている。そういう感じなので「受け入れる」という感覚ではないですね。

光嶋　僕は、自分が描いているドローイングの意味を完全に言語化することができないので、こうして対話を通して考え続けたいと思っています。だから、皮膚感覚として良いと思ったときに、それを言葉でちゃんと説明できないことがしばしばある。

逆に言葉ではわかっていても、いざ描いてみたら、それほど良くなかったりもする。意図することと意図しないことの濃淡が創作のプロセスにはつねにあって、自分の想定と違うときに、一概に否定せず、赦すという行為を通して「こんな俺もいたんだ」という発見に変換して受け入れていけば、作品がより複雑になっていくと思っています。

束芋　自分の制作の過程において「赦す」と「受け入れる」は、違うものだと思っています。発表したあとの作品というのは受け入れるもなにも、もうそのものというか、否定ははじめからまったくないですし。

光嶋　そうか、否定はそもそもないんですね。

束芋　だから、やっぱりその時点で受け入れるかどうかというよりも、作品はまったく新しい発見であるべきだと思っているんです。だから作品を発表してからは、受け入れるのと、赦すという感覚は違いますね。その前の制作過程においては、赦すと受け入れるは似ていると思う。

描く段階では徹底的に考える

光嶋　では、「嘘をつかない」という点において、自分から出てくるものに対して頭で考えながら正直に描くのか、それともある種の瞑想状態というか、ゾーンに入って、手が勝手にスイスイと描く感じなのか、どういう感覚で束芋さんは描いていますか？

束芋　私は全然スイスイいかないですね。小学校に上がるぐらいの頃まではけっこう絵を褒められていたんですが、それこそ技術がちょっとついてしまって、ディズニーのバンビの模写をしたらすごく上手く描けたんです。でも、そのときに母親にまったく褒められなかった。それで「もう二度と描かない」ってなりました。落書きとかもしなくなっちゃったんです。それ以来、なにも考えずに描くみたいなことは、本当にいまのいままでまったくしたことがありません。

たいがいあまり考えて生活してこなかったこともあり、せめて描くときくらいは考えようとも思っています。とはいえ、アニメーションをつくるときも、実際に手を動かしているときは作業になるので、テレビがついていたりラジオを聞きながらじゃないと続かなくて、頭ですごく考えながら手を動かしているかというと、そういうわけではないですね。

光嶋　それはアニメーションとして動かすためには、膨大な量の絵を描かないといけないから作業という感覚に近くなるんですか？

束芋　そうですね。でも、なにかをうみ出すために描く段階では……。

光嶋　徹底的に考えて、フィーリングでは描かない？

束芋　はい。でもフィーリングでいく部分も、残しておくようにしています。八割は徹底的に考えるんですが、残りの二割はフィーリングというか、たまたまパッと浮かんだイメージを最後まで引きずって描くということをここ一〇年くらいはしているんです。それまでは、とことん考え抜いて描いてました。

光嶋　技術に頼りすぎないということですね。試行錯誤の結果、考え抜いて描くことに少し風穴を開けるというか、ゆとりをもつスタイルにたどり着いたんですね。ちなみにアニメーションとは、要するにパラパラ漫画ですよね。

束芋　そうですね。

光嶋　その一つひとつの絵は、束芋さんが全部を描いているんですか？

束芋　ここ一〇年くらいは、ほぼ全部を描いています。

光嶋　《断面の世代》のときも？

束芋　《断面の世代》はひとりアシスタントをつけました。

光嶋　作品の良し悪しは、束芋さんが全部を描く場合と、アシスタントさんに手伝ってもらうのと、違いはありますか？

束芋　よくわかってくれている人に手伝ってもらえたら、もちろん進み方が違います。アニメーションは淡々と同じような絵ばかり描かないといけないんです。一週間作業をしたところで線画だけでも五秒つくれるかなというくらいなので、アシスタントがいて、あいだを埋めてくれれば、気持ちが楽になりますね。

光嶋　全部を自分で描いたから良いとか、悪いとかはないんですね。

束芋　ちゃんと私のやりたいことを理解してやってくれる人を選んでいるので（笑）。

光嶋　身体性みたいなことでいうと、いとうせいこうさんは憑依型の作家で、小説を書くときにルーティンとしてチョコレートを食べると言っていました。束芋さんは、創作するときにゾーンに入るために実行していることはありますか？

束芋　ないです。そもそもゾーンに入ることがないので、「憑依する」みたいなことが羨ましいです。

「それ」とは「意地悪」

束芋　私は、ほんのちょっとのヒントみたいなものをすごくたいせつにしています。たとえばこうしていま話していても、なにかで自分が光嶋さんの話に引っかかったり、それは違うんじゃないかと思ったりする。光嶋さんはちゃんとした人だし、間違いは絶対言っていないと思うんですけど……。

光嶋　いやいやいや（笑）。

束芋　それでも自分が引っかかるというのは、なにかがそこにあるんじゃないかと感じるんです。そういうことを少しずつ溜めていくことで、いま自分はなにが気になっているのかということを見つけ出し、たいせつにしたいと思っています。

　というのも、私は趣味とかも特になく、なにかに没頭することもあまりないんです。すごく悲しい人生で、自分でもなんとかしないとと思ってるくらいで。いまも、（二〇一九年）五月に作品を発表して以来、全然ピンとくるアイディアがなくてちょっと気持ちが落ちているんです。

光嶋　もう、次の展示が迫っているんですか？

束芋　そうですね。だからここのところかなり悶々《もんもん》としていて、なにか見るたびにいいヒントはないか探しています。だから泉のようにアイディアが湧き出るって言っている人がもう信じられないです。

光嶋　僕は、泉のようにアイディアが湧いてくるわけではないんですが、つくり続けるためのルーティーンというか、ひとつのことに執着せず、つねに複数のことを同時進行しながらやるようにしています。僕にとってはそれが一番健全な状態なので。

束芋　光嶋さんって本当に完璧ですよね。前回、二〇一四年に対談させてもらったときも、生い立ちから、プロポーズのしかたまで、なんかもう素晴らしくて。素敵なご家族に恵まれて、奥さんも美しく、娘さんもとってもかわいくて、ちゃんとお父さんをやっている。だからなにもダメなところがないじゃないですか。

光嶋　ははは。いや、そんなことないですよ（笑）。

束芋　正直それが不思議でしょうがないというか、それだけ表面的に完璧ということになると、片方では必ずなにかが破綻してるんじゃないかと思ってしまうんですよね。

　自分のことを考えたときに、できるだけ表ではちゃんとしようという思いがあります。発表のときも「苦労したんです」と言うのではなくて、普通に淡々とやってきましたって見せられるようにやっているつもりです。でも裏側ではものすごく嫌な時間を過ごしていたりとか、自分で自分のことを本当に嫌になっていたりするんです。逆に、そういう嫌な部分があるからこそ、喜びも大きい。光嶋さんのように日々喜びだらけだったら、どうやっているんだろうと思いますね。

光嶋　僕はドローイングを描きながら自分を知

ろうとしているというか、無意識のうちにドローイングには、なにかが表出しているのかもしれないと思ったんです。だから僕自身は自分のなかにある毒みたいなものは自ら意識して解毒するというより、絵を描く行為を通して、多面的に自分のことが見えてくるように感じています。先日、せいこうさんと話していて最終的に「ゴキゲンである」ことがものづくりにとって大事な秘訣のひとつなんじゃないかという結論になりました。

束芋　大事ですよね。でも実際はなかなかできることではない気がします。もちろん、私自身もゴキゲンであることは重要だと思いますし、高校生くらいのときの自分と比べたらずいぶんゴキゲンになったと思うんですけどね。

光嶋　高校生のときのイライラは、どこに向かっていたんですか？

束芋　クラスで一番嫌いな女の子に向かってましたね。ひどかったですよ。

光嶋　いじめ、いじめられ……。

束芋　そうですね。中学高校の六年間はずっとそんな感じでした。

光嶋　いじめられるのが怖いから、虚勢を張るみたいなことですか。

束芋　というより、やっぱり自分が正義なんですよ。その正義を振りかざす。この子にわからせてあげたいみたいな感じなんです。

光嶋　どこかの大統領みたいじゃないですか（笑）。

束芋　そうかもしれないですね。

光嶋　そこからどのように脱皮していくんですか？

束芋　いや、オブラートに包んでいるだけで、脱皮してないんですよ。

光嶋　それが成熟なんですかね。

束芋　そうですね。オブラートに包む方法がわかってきて、「それ」を見えないようにすることはできるんです。ただ、根幹に「それ」はもちろんあって、でもその根幹が自分の制作にすごく生きているとは思っています。

光嶋　「それ」を言語化は、できますか？　根底にある「それ」がなんなのか、束芋さんの毒みたいなもの、それはクリアカットに言える類のものではない気がしますが……。

束芋　「意地悪」ですかね。意地悪は私自身がとてもたいせつにしているところで、ひとの意地悪さみたいなものも見たいんです。すごく真面目にまっとうにゴキゲンに生きているひとよりも、意地悪なひとのほうが私にとっては興味深くて。意地悪さって、大人になればある程度は隠せるものだと思うんですけど、その意地悪が少し見えてしまうというのが、すごく人間らしいところでもあると思っています。

光嶋　面白いなぁ。それと創作がリンクしているのを自覚していることがとっても興味深い。

束芋　そうですね、そこが創作に一番強くリンクしています。

光嶋　それは、他者と束芋さんご自身を差異化するための大事な種子みたいなものですか？

束芋　差異かどうかはわからないですけど、ものをつくるうえでどう取り組んでいくかというときに、まず私が一番はじめに発表した《にっぽんの台所》という作品に関しては、とことん自分がやれることをやっていくなかで、鑑賞者に苦労させせて見せるみたいなことを考えたんです。

光嶋　鑑賞者に苦労させせて見せるとは？

束芋　たとえば映画は、映像がスクリーンに映って、座って作品を鑑賞してもらうじゃないですか。それは、席につくとか、時間をとられることの苦痛はあるかもしれませんが、鑑賞者はある程度リラックスした時間と状態で容易に鑑賞できますよね。《にっぽんの台所》は一畳もないくらいのものすごく狭くて暗い空間に三つのスクリーンを設置して、そのスクリーンを同時に見てもらいました。

その後の作品でも、傾斜のあるところに鑑賞者を立たせたり、三六〇度映像で鑑賞者を囲むことで、後ろ側で展開する見えない部分を意識させたり。あるいは、ワンスクリーンなのですが、花びらがただただ落ちる映像の最後に決定的なオチをつけて、全編見ないと作品の本質は理解できない作品にしたり。とにかく見るひとが頑張って見てくれないと全容がとらえられないようなつくりにしました。内容自体に意地悪な部分がある作品も、もちろんあります。

光嶋　その頑張らせるというところに束芋さんの意地悪さがつい洩れ出るんですね。

束芋　頑張って見るという体験は、能動的じゃないと得られないことなので、お互いに能動的に、鑑賞者にも五〇パーセントの責任を負ってもらうということを考えたんです。もちろんつくるときは私自身一〇〇パーセント以上の力を出し切ってつくるんですが、作品として完成させるには私が五〇パーセント、鑑賞者が五〇パーセントの責任をもって見てもらう。そうしないと成立しないものをつくろうと。

作品を共有したいとは思わない

光嶋　そうして鑑賞者がコミットした結果得られるものは、束芋さん自身も鑑賞者と共有したいものですか？　というのも、芸術は鑑賞者が完成させるというふうに捉えることもできますよね。束芋さんの意地悪さは自分のつくっているモノを提供するんだけれども、簡単には受け取れない仕掛けにもなっている。頑張ったあとに鑑賞者が獲得するものってなんですか？

束芋　それは、作品そのものになると思います。

光嶋　その作品そのものというのは、繰り返しになりますが、束芋さんが不特定多数の鑑賞者たちと共有したいなにかでしょうか？

束芋　いや、共有したいわけではないですね。自分としては発表したあとは、私もひとりの鑑賞者になっているので、そこでまた自分の作品を見て「あ、そういうことだったのか」と、自分のストーリーをつくり上げていくんです。

光嶋　思ったものと違うということは、さきほどの偶然性に関する話でいうと、完成したあとでも起こりうることですか。

束芋　制作中は、驚きをもってつくっているのではないんですよ。不確かななか、暗闇のなかで手探りをしながら進めていくことで驚きのあるものに到達する可能性があり、できあがってからその驚きは得られるんです。

光嶋　完全に驚きを封印して暗闇のなかでつくらないと、できたときの驚きは起きないということですか？

束芋　そうですね。アニメーションという手法を取っているのもそのためかもしれません。私は、アニメーションの勉強をしてきたわけではないのですが、とにかくパラパラ漫画さえ描けば、なんとか動く。人の形をつくろうとしたとき手をこういうふうに動かしてみようとか、その程度でやってきたんです。それがたとえばディズニーや劇場系の映画になると、本当に人間のように動かないといけないけれど、私がつくっているものはそんなふうに動かなくてもいいんです。歩いている人が、歩いているということさえわかればいい。私は絵が下手で、上手には描けない。でも、その絵が動きはじめると、それがまた驚きになるんですよ。

光嶋　動かしてみてはじめてわかることがあるんですね。

束芋　描いてるときはこういうふうに動いてくれるかなと思いながら描いているんですが、結局はできあがったときにそのぎこちなさとか、そういうことも含めていいものになっていきますね。そうなると、二割残したフィーリングのところが大事になってくるんです。

光嶋　なめらかな動きというような、アニメーションの精度や完成度では勝負しなくていいということですね。

束芋　そもそも勝負できなかったということが、結果的に自分にとっては良かったんだと思います。

光嶋　自分の作品がなにかに似てくることはありませんか？

束芋　それが、先日言われたんです。自分ではまったく意識してなかったんですが、油絵がフランシス・ベーコンの作品に似ていると言われました。一点だけの話だと思うんですけどね。

光嶋　束芋さんはベーコンお好きなんですか？

束芋　そこからベーコンの画集を見ました（笑）。

光嶋　あとからですか。技術がないと、つい頭で考えすぎてしまう。ない技術でペインティングナイフをこねくり回すと良くない。結局タッチが、自分の見てきたなにかに似てきてしまう。そうしたものを打破するのが技術だと思うんですよ。

僕の場合、ペンで描くドローイングは、最近はじめた油絵よりも圧倒的に手の技術があるから、フィーリングでスイスイ描き出して、乗ってくるとゾーンに入るときがある。でも、油絵だとどうしても、すぐにモネっぽい、ロスコっぽいと既知のなにかに頭が先に結びつけて見てしまい、八割どころか、全部自分のイメージからしか探そうとしていない不自由さと一番葛藤していますね。

似ているはアートではありで、デザインではNG？

東芋　逆に私は全然知らないので、「○○に似てる」と言われてからそのものを知ることが多いんです。アニメーションをつくっていても、誰々っぽいねって言われることもありますが、それはあまり気にして考えなくてもいいかなと思っています。もちろんいろいろなものに影響されて、つくっているものがいまこういう形になってるんだと思うので。

どちらかといえば、デザインの仕事であれば、似ているということは致命傷ですよね。数年前にオリンピックのエンブレムの問題もありましたけど。

光嶋　あのエンブレムは似てるというか、参照元を隠蔽してパクっているというかね。模倣と真似事の違いなんですかね。オマージュのように、敬意を込めた引用とは、また違いますからね。

東芋　ただ、それが美術の世界だったらどうかということを考えたんです。デザインの世界では、デザインのベースとなるフォントはあるんですよね。それは歴史をちゃんと踏襲している。

光嶋　美学に則って淘汰されたフォントがあるわけですからね。

東芋　その美しさだけではなくて、こういうときにはこういうものを使うべきだ、という暗黙のルールもきっとあると思うんです。タイポグラフィがよくわかっている人は、その背景をすべてわかっているので、なぜこの時代のこのフォントを選んだのかが説明できる。その選んだものが同じであれば、できあがったものが似てくるのは当然なんですが、そういうふうに突き詰めていくと、デザイナーのセンスはものすご

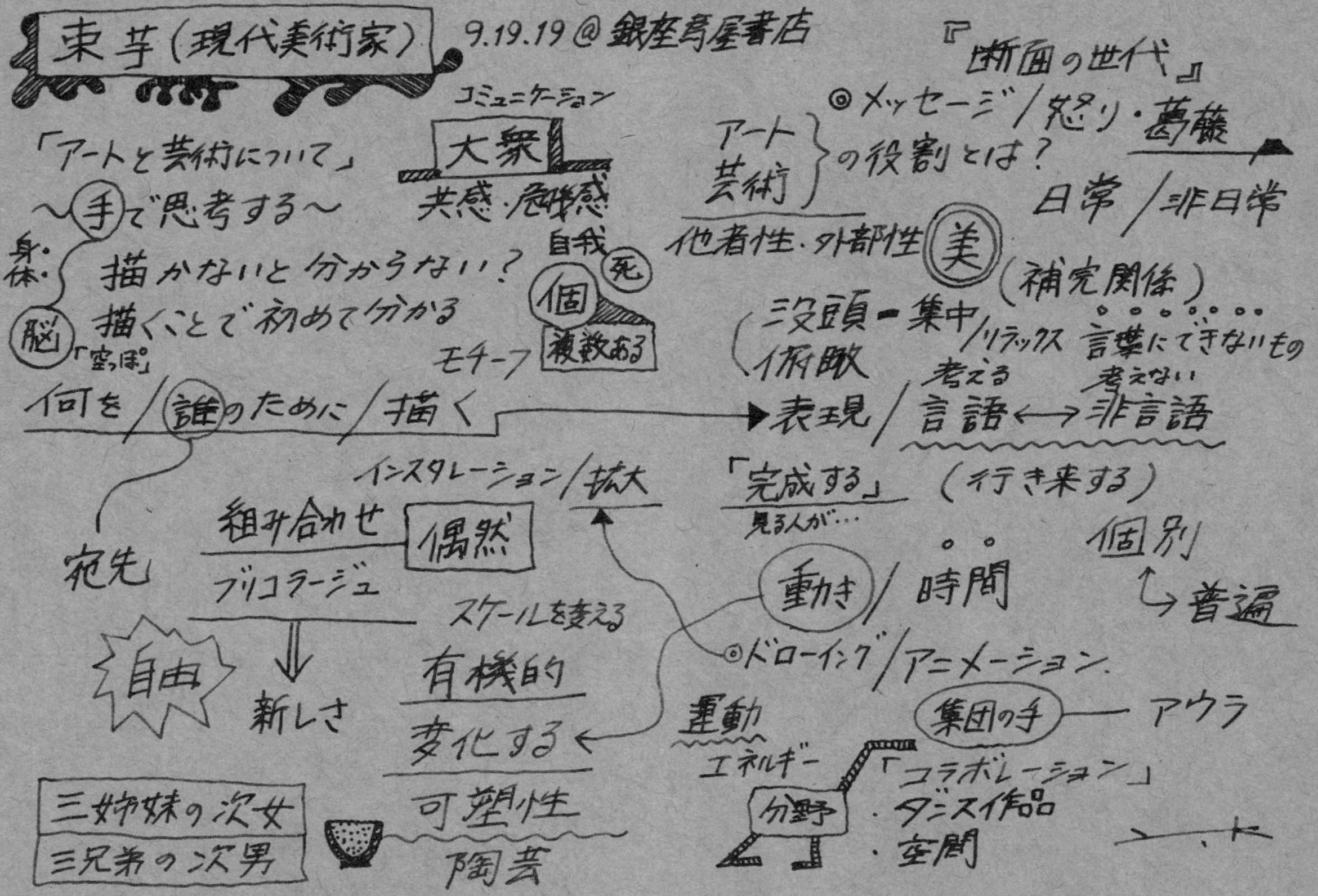
束芋（現代美術家）
9.19.19 @ 銀座蔦屋書店
『断面の世代』
◎メッセージ／怒り・葛藤
アート
芸術
の役割とは？
日常／非日常
他者性・外部性
美
（補完関係）
没頭 ― 集中／リラックス
俯瞰
言葉にできないもの
考える
考えない
表現／言語←→非言語
「完成する」
見る人が…
（行き来する）
個別
普遍
動き／時間
◎ドローイング／アニメーション
集団の手 ― アウラ
「コラボレーション」
・ダンス作品
・空間
分野
運動
エネルギー
コミュニケーション
大衆
共感・危機感
自我
死
個
複数ある
モチーフ
「アートと芸術について」
〜手で思考する〜
身体・
脳
「空っぽ」
描かないと分からない？
描くことで初めて分かる
何を／誰のために／描く
宛先
インスタレーション／拡大
組み合わせ
偶然
ブリコラージュ
スケールを変える
自由
新しさ
有機的
変化する
可塑性
陶芸
三姉妹の次女
三兄弟の次男

くミクロの世界に入っていく気がします。

でも美術は逆で、たとえば光嶋さんと私が同じものに感動して創作をスタートしたら、枝がどんどん分かれていって、自分なりの表現に昇華していくと思うんです。いくらでも広がりがあって、マクロのほうに向かっていく。だから、デザインとアートでは方向が逆というか、まったく違うものだと思ったりもします。

光嶋　アートの場合はどんどんマクロに拡張していくので、向きがわからなくなっていく。対して、ミクロに向かうデザインは、どうしたって歴史を参照したり、クライアントの要望があるので、その参照元を意図的に隠したりするのが一番まずい。

たとえば文章でも引用なのか、自分の意見としての言葉なのか、ちゃんと書かないとルール違反で、それは文体にもすごく影響する。デュシャンの「レディ・メード」やウォーホールの「ポップアート」だって、いろんなものの影響を重ねた結果であり、模倣と真似事の線引きが自覚的かどうか、正直か偽りかというところに行き着く気がします。

束芋　でも、突き詰めていった先がたまたま同じになる場合もあるんですよ。それがデザインの世界では、あとから発表したひとが責められますよね。

光嶋　そうか、アートの場合はまるっきり一緒でないかぎり、あるいは悪意のある盗作でないかぎり、責められることはないですよね。

束芋　そうですね。だからそれを知ったときに、やっぱりデザインとアートは違うものだと感じました。「デザインもアートも最近同じように垣根を超えてきてるじゃないですか」と言われる方に対しては、いつも私は違うと思いますと言うようにしています。あのエンブレム問題の一件でそれを強く思ったんですね。

それから、じつは私、突き詰めてつくった先が別の作品とものすごく似ているという経験をしたことがあるんです。

光嶋　さきほどのベーコンの話ではなくて？

束芋　はい、別の作品です。自分がつくったものとすごく似ているものをつくっている人がいて、ああパクられたと思っていたらその人のほうが早かった。モチーフも、手法も一緒で、それを見たときに「こんなことあるんだ」と思って。私が作品を発表したときに、すでにあった作品を知っていた人もおそらくいたと思うんですが、誰にもなにも言われなかったんです。

光嶋　どこかで見た可能性はないんですか？

束芋　まったく見たことなかったんですね。私にもその手法に行き着く前段階があるし、その人の手法のなかでそれが出てくるのも納得できるんです。

こういうことって、アートだけではなくて、やっぱりデザインの分野でも十分にあると思うんですよ。むしろ、ミクロに向かうデザイナーのほうが同じ形にたどり着く可能性が高い。だから私はオリンピックのあの件に関しては、本当に知らなかったんじゃないかと思っています。

光嶋　ああ、そうか。たしかにその分野の専門家として教育を受けて、リテラシーが高くなればなるほど、知らないで類似したデザインを採用してしまうことってあるのかもしれない。それを当事者でない外野が「パクリだ」と断定するのではなくて……。

束芋　そうです。私の場合は美術をやっているので、山ほど選択肢があるなかで行った先が誰かと一緒だったということはほとんどないと言えるのに、実際はあった。であればデザインの分野ではもっと近づく可能性があるはずで、だからパクリじゃなかったんじゃないかなと。

光嶋　この先AIなどのコンピュータ技術が進

化すると、模倣と真似事っていうのは、線引きがなお難しい問題になってきますよね。

東芋　そうですね。最近、私たちよりもずっと若い世代が「シェア」というのをしますよね。こういう時代になってくると、パクリかどうかということって、もうちょっと違う次元の話になってくると思うんです。私たちがオマージュとかって話しているものとはまた質が変わってくるのかな、と。だからこれからの世代の考え方に興味があります。

機械が描く絵と、人間が描く絵が違う理由

光嶋　手で思考すること、つまり、手を動かすことでいうと、建築学科の学生たちが製図板に向かって線を引くことをどの段階からパソコンでクリックすることに移行するかという問題がありますす。製図をほとんど経験せずに、すぐにコンピュータにいくのは、かなり危ういと僕は思っています。

そうした道具としてのコンピュータという技術の話になっていくと、究極的には建築家がいらない時代が来るのではないか。個人個人を識別するもの、つまり自分と他者を差異化するはずの経験までもがみんなフラットにデータ化されてしまうのは、恐ろしい。

東芋　でもやっぱり、そうなると「いま」がすごく重要になってくると思います。過去がどうとかではなくて、いまを生きていること、いま経験してること。データ化されたものがあったとしても、いまこの瞬間については書き込まれてはいない。光嶋さんの身体には情報がどんどんアップデートされていきますけど、AIはアップデートしなければ、上書き保存されないですよね。

光嶋　絶対追いつかないってことですよね。やっぱりＡＩ建築家は、ありえないと思うなあ。というか、思いたい。だって、いくら機械の計算が速かったり、膨大なデータをストックできるといっても、機械には感情や心もないし、なにより身体がないから意思をもった決断ができない。だから、根源的なところで、なにかを創造することにおいては、やっぱり道具でしかないと思います。

束芋　芸術や美術、アートの面白さってどこにあるかという問いに、ある人が言ったのが、「ゆらぎ」。私もその言葉に納得しました。コンピュータで線を引けば、誰がやっても同じ線が引けるじゃないですか。でも、私がこの環境で鉛筆を手に持ち線を引くと、それはいま私にしか引けない線になります。だから私はコンピュータではなくて、手で引くことを大事にしています。それはつねにゆらぐもので、そのゆらぎが作品となっていくんだと思うんです。アニメーションであれば、そのゆらぎのある線が、どんどん重なることで意図せずとも自分なりの動きになってくる。そういうことの繰り返しでさらにゆらぎの幅が大きくなる。それが芸術の面白さなんじゃないですかね。

光嶋　その「ゆらぎ」を可能にしているのは束芋さんの感性であり、つくり手の身体ですよね。

束芋　より美しいとか、より正確というのは、コンピュータのほうが強いと思いますけどね。

光嶋　より緻密な絵は、きっとコンピュータのほうが描けるようになるでしょうね。

束芋　そうですね。描ける、でも理論ではないところにそれなりの余地があり、それを大事にしていれば、機械と人間は比較にならないんじゃないかと思ったりもします。私の絵を見て、より上手く描こうと思ったら描けるひとは山ほどいると思います。でもさきほどの「赦す」ということで言えば、機械だったらそれを発表することは赦せないと思うんですよ。

光嶋　より現実に忠実に上手く描くことを目指すと、効率や合理性に基づく機械にはテクニカルに劣った絵を赦すことはできないでしょうね。

束芋　いや、そういうことではなくて、機械は私よりもずっと上手に描けるわけだから、最初から機械が「赦す」という判断をしないと思うんです。つまり、「発表する判断」を「赦す」という形ではしない。そのうえ、私が「赦す」ことにも「ゆらぎ」がある。制作過程も作品そのものもつねに「ゆらぎ」が生じている。だから生身の人間と機械は同じ絵をさらにアップデートしたとしても、必ず違うものになると思います。機械はとにかくより良いものを極めていくだけですよね。

光嶋　より緻密とか、より正確であるということが、作品としての評価と一致するためにデジタルな基準線が必要だけど、私たち人間の場合は、身体感覚という曖昧で複雑な基準しかもっていない。白か黒かはっきりしないから、いつも「ゆらぎ」のあるグレーになる。コンピュータに入力できるパラメータがいくら増えても、身体性のもつ複雑さには到底かなわない。最後に作品として発表する決断は、この人間の身体的なゆらぎとか、直感とかに委ねられているから厳密に数値化できない。

束芋　はい。コンピュータは、あくまで道具であって、人間がオペレーションしないといけないという関係性はずっと変わらないということです。

シェアの感覚がない私たちの世代

光嶋　束芋さんは、スピードアップする社会の動き、世代間に見られる違いみたいなものに不安はありますか？

東芋　ありますよ。さきほども言ったように、たとえば、若い人たちの「シェア」する感覚は、まったくわからないところにあります。一方でそれをすることで広がる可能性も説明されたらわかる。このままそういうところになにも参加しないというのもどうなのかと不安がありますね。いずれにしても身体的な感覚をもっているということは、私たちの世代で絶対に重要、一生重要だと思うんですよ。でもそれは下の世代に押しつけるものでもないのかなとも思いますね。

光嶋　シェアの感覚については、なにかをひとりで所有するという感覚が薄れて、コモンとしてみんなで共有する方向にひらかれていくなら、僕は大いに賛成ですね。でもたとえば、本を読む喜びみたいなものを、データで頭に直接注入するようになってしまったら、それは、時間が短縮されて便利かもしれないけど、一年かけて夏目漱石全集を味わいながら読み切ることと、データとして単なる情報として脳に瞬時にインストールすることは、絶対同じではないと思うので、勉強したっていう手応えと喜びが完全にこぼれ落ちてしまう。

東芋　結局は、全部わかってしまう全能感みたいなものが、退屈に感じるんだと思います。なにかわからないことがあると、いまはすぐにネットで調べるじゃないですか。でも、調べられなかった時代の悶々としていた、あの感じにも良さがありますよね。

　よく通る道にあるあの店はどんな店なんだろうっていうことを毎日見ながら想像し、ある日機会を得て店に入ったときにはじめてわかる、そのプロセスみたいなものはたいせつにしたいんです。でもいまは、調べれば、どんなひとがやっている店かということまですぐにわかってしまう。

光嶋　情報にたどり着く過程も含めて楽しんでいるのに、わからなくて悩むとか、想像するモヤモヤした時間をすっ飛ばして、あまりにイージーにアクセスできると、情報のありがたみがなくなってしまう。目的を合理的に追求することからしたら無駄に思えることにも隠れた意味がある。そうした膨大な無駄を排除して単なるデータとしてなにもかもが薄っぺらで交換可能なものになってしまうのが、本当につまらない。

束芋　それは、退屈ですよね。私はきっと耐えられないと思います。

自分をどう裏切っていくか

光嶋　それこそ、束芋さんもよくモチーフとして描かれる脳に直接データ化された知能を入れられるようなことが現実になったら、人間の身体が機械に取り替え可能なものとなり、人間の究極の欲望である不老不死にも近づいていくんでしょうね。

　生命そのものをコントロールしてしまうってことは、すべてが機械のようにデータ化されるので、身体という器が必要なくなり、コンピュータという死なない身体（ロボット）を手に入れられる。

束芋　それは、ものすごく怖いです。同じことの繰り返しとか、耐えられないんです。死なないうえにみんな同じようにインプットできて、誰もが知ってるってことで価値を感じられなくなるなんて、耐えられない。不老不死っていうのは、それだけで退屈に感じてしまいます。

光嶋　僕も死にたくないけど、不老不死は願わないと思う。

束芋　私は、死なないと嫌です。いまはもちろん死にたくないけれど、もし死なないような技術があったとしても、絶対それは選ばない。

光嶋　死ってものは、突き詰めて考えてみると、アートや芸術の根本的な役割が、自分自身の分身をつくることのように思えてくる。それは、自分自身が何者であるかを探求するプロセスでもあり、最後の最後には死があることを理解しないといけない。逃れられない現実ですよね。

だから絵（作品）を終わらせる瞬間（完成）って、仮の死だと思うんですよ。建築においては、竣工しても、住みはじめることで建築は生きられるし、リノベーションや増築もできる。でも絵においては、サインすることで作品は、仮に一度死ぬ。だから、芸術において作品を仕上げることで、自分が一回死んでいるとも言える。作品に対して驚くのも、次に進むためにはたいせつで、一枚一枚の作品にあまり未練をもっていたら次に進めない。

束芋　そうですね、死を受け入れながら、いまを生きないとやっぱり退屈な気がする。なにかを一生懸命することが必ずしも人生をより良くするとは思わないけど、退屈な人生から逃げるためには一生懸命「いまを生きる」ことも必要ですね。なにか自分なりに選んでいかないと、すごく退屈な人生が待っているようで……。

光嶋　自分で見つけていく面白さっていうのは、つねに当事者意識をもって、主体的に物事にコミットしていないと感じられないものですよね。ご本人に言うのもなんですが、さきほどの「意地悪さ」っていうのが束芋さんの作品がもっている独特な個性だとすると、その気持ち悪さや、違和感というものが単純な美しい、美しくないという二項対立を超えた飛躍のチャンスを与えてくれている。

東芋　たぶんＡＩが進化したとしても、私がなぜこういう意地悪さをもっているのかは、わからないと思います。自分でも理由がわからないのにコンピュータが解明できるとは思えないですし。それと、同じような意地悪なひとに出会うと、大嫌いか、大好きかのどっちかなんです。

光嶋　へぇ、そうなんですか。それは、自分に似ているから？

東芋　そうですね。似ているので、ああ、こういう奴いるよなっていうのですごい嫌いになることもあるし、こういうときこういうふうに思うよねって共感してすごく好きになることもある。たぶんＡＩには意地悪というのが、ダメなこととして認識されてしまうと思います。

光嶋　人間の感情はダメか、良いかが、デジタル的にきっぱり分かれていなくてグラデーションがあるから機械には無理でしょうね。それこそプログラムにバグが入っていたら、予測不能な反応をしてくれるかもしれないけど。

東芋　そうそう。だからそのあたりの感覚は作品をつくるときもたいせつにしていきたいなと思います。

光嶋　そういうわからなさを内包しながらも、感覚を頼りにゆらいでいくためにも、やはり人間の身体が必要だと思うし、それを技術だと思ってただ磨いていくような単純な話じゃない気がしますね。

東芋　そこは、やっぱり自分を裏切っていくようなことが自分でできるかが大事になってくるんじゃないですかね。驚きがうまれて、それを楽しむためにも、自分をどう裏切っていくかってことは、とても高度なことだと思います。

余韻

制作することと

赦すこと

束芋さんのアニメーションにしばしば登場する髪をかき分ける指だったり、指からどんどんまた指が出てきたりする、あの指はいったい誰の指なのだろうか。

久しぶりに会った束芋さんは、とてもリラックスしていて、肩肘張らずとても自然体に見えた。なにを話してもゆっくりと受け止めて、借り物の言葉ではなく、ご自身の内から摑み取るたしかな手応えのある自前の言葉で丁寧に返してくれた。対話しているあいだ、ずっととても温かい時間が流れているのを感じ、気づけば休憩を取るのも忘れて、二時間ぶっ通しで話してしまっていた。

なかでもグサッと心に刺さったのは、「赦す」ということについて束芋さんが静かに話されたときのことである。自分自身に対して、正直であること、自分が感じた違和感なりとつねに真摯に向き合い、弱さを自覚して丁寧に解きほぐしてから受け止める。芸術として作品を丹念に練り上げていく姿勢の根底には赦しがあるという予想もしなかった彼女の言葉に、わたしはハッとした。

制作することと自分を赦すことには、どんな関係があるのだろうか。

赦すという言葉にわたしは、なにか超越的なものに触れようとする深い眼差しを感じる。ここで、フランスの思想家シモーヌ・ヴェイユの言葉を借りて「赦し」について少し考えてみたい。

> 神にとっての犠牲とは、自分は存在すると思いこむことを人間に赦すことだ。人間にとっての犠牲とは、自分は存在しないと認めることだ。
>
> 『ヴェイユの言葉』（みすず書房、二〇〇三、一三八頁）

とヴェイユは書き残している。また別の著書には次のようにも書いてある。

> 神がわたしに存在を与えてくれたのは、わたしがそれを神に返すためである。（中略）神は、わたしが神の外側にあって存在することをゆるしてくれる。このゆるしを拒むのが、わたしのつとめである。

謙遜とは、神の外側にあって存在するのを拒むことである。

『重力と恩寵』（ちくま学芸文庫、一九九五、七二頁）

このふたつの引用でヴェイユは、神が人間を赦すことについて考察している。そして、人間が存在することを神に赦してもらうことを拒むことが、謙遜であると言う。この謙遜についてさらに「真の謙遜は、自分が人間として、さらに広くいえば被造物として、無であることを知ることである」（同右、二二一頁）とも述べ、続けて「知性ほどに真の謙遜に近いものは何ひとつない」（同右、二二二頁）とも断言している。

つまり、知性を身につけて謙遜することによって、人間が存在することを神に赦してもらうことを拒むことができるのだと教えてくれている。存在しない崇高な神と対峙し、自分の人間としての存在を確認するために、知性があり、謙遜があり、赦しがある。

束芋さんの発した「赦し」の言葉にも、このヴェイユの放つ「赦し」の思想と同質なものを感じた。そこに特別ではなく、いたって普通だという束芋さんの現代美術家としての静かな矜持みたいなものを、感じずにはいられなかった。

この赦しの姿勢を貫くことは、ポジティブな諦めのようなものでもある。芸術の神から赦しを得ることで、ポジティブにもなれるのだ。自分を赦して深く潜ることは決して容易なことではない。けれども、創作することの喜びを求めて、自身の内側へとダイブし、良い意味で諦めることでしか見えてこない開放的な風景というものが、きっとある。

また、スクリーンいっぱいに映し出されるアニメーション作品の通底に流れるものが「意地悪さ」であるという自己分析こそ、今回の対話の大きな収穫のひとつである。それは芸術の神の赦しを得て謙遜する束芋さんの誠実な言葉の証といえよう。束芋作品の核として意地悪さがあるというのは、じつに示唆的な仮説である。それは、作品と鑑賞者が直接に関わることを作者が要請していることでもあり、そこの関係が決して生易しいものではないということを示している。

鑑賞者は、たとえば三方に広がるスクリーンいっぱいに動く映像を見ながら自分のなかでストーリーを汲み取ろうとする。しかし、一見普通の日常の風景を描き出しているようで、意地悪な束芋作品には、決して簡単にわからない、なにかスッキリしないどろっとしたものがずっと漂っている。徹底的なまでに普通だからこそ対照的に浮かび上がる歪《いびつ》さがある。鑑賞者は、束芋さんの作品世界にじかに触れて、たしかに交わるのだ。

一九世紀のアイルランドの作家オスカー・ワイルドが小説のなかで書いた言葉を思い出す。美しき美貌をもつ青年ドリアン・グレイの肖像画を描く画家に向かって、友人のヘンリー・ウォットン卿が語った台詞である。

——ぼくが知っているかぎり、芸術家で人間的に面白いのは、芸術家として駄目なやつだ。——

立派な芸術家は作品のうちにのみ存在していて、人間としてはつまらないものなのだ。大詩人、真に偉大な詩人はあらゆる人間のなかでもっとも詩的でない。

『ドリアン・グレイの肖像』（新潮文庫、一九六二、一一六頁）

なるほど、作品と作者の人間性を安易にダイレクトに結びつけてそのひとを判断してはいけなさそうだ。しかし、立派な人間であるか、ないかはちょっと横に置いておくとしても、作者の人間性というものは、如何なる形であれ、作品に宿ってしまうこともまた事実だろう。

束芋さんが「普通」に制作を進めていくうえで、冷静な判断を重ねていきながら、わずかな狂気的な部分として、その意地悪さが残る。それは作品のなかにたしかな存在感として刻まれており、それを作品に込めることで彼女自身が意地悪さを祝福に昇華しているのかもしれない。

なにかをゼロからうみ出すということは、原理的に不可能である。自分というフィルターを通過させせないことには、作品をつくることなどできない。もっと言えば、創造するということは、自分の身体を介してはじめて可能になると言っても過言ではないだろう。

束芋さんの魅惑的な作品群がもつ不思議な豊かさは、ご自身の意地悪さが素直に表出し、結晶化することでアニメーションという虚像のなかに不気味に漂っている。その独特な感性で自分を赦し、いつも新しいものをつくろうと葛藤した痕跡が、画面に充満するほどに複雑な表情となって作品に息づいている。それ故にわたしは強い生命力を感じるのだ。

手で思考するとは、頭で考えることをやめて、別のあり方で自分を通過させるためのひとつの窓のようなものかもしれない。つまり、手という自分の身体の一部を意識的に、かつ自在に動かすことで引かれる線が、じつのところ無意識的なもうひとつの世界をもつい表出してしまうのだ。だからこそ、つくり手である自分でさえ、ときに驚いてしまう。それはなにかを描くことが、自分自身を知るという行為でもあることをさし示している。

なにかを表現するということは、作品に宿る自分らしさを鏡のようにして再発見することなのかもしれない。自分を知るということは、自分の見ている世界を知ることでもある。言い方を換えると、自分の世界に対する見方を新たに開拓しているということだ。

つまり、束芋さんは作品をつくるたびにご自身の世界の見方を少しずつ更新し、バトンを渡されたわたしたち鑑賞者も、自分の世界の見方をその都度問われている。小さな問いの連続。スッキリするような答えはないが、このモヤモヤとつき合うことで、彼女の作品がわたしの心に響くわけが少しだけわかったような気がする。

最後にもうひとつ、美についてヴェイユの綴る言葉を紹介したい。


どんな芸術作品にも、その作者というものがある。しかしながら、その作品が完全なものであるときには、何かしら本質的に作者の名をかくしてしまうようなものをそな

えている。それは、神のわざが匿名でなされていることの模倣なのだ。世界の美しさが、人格的であって同時に非人格的な神、そのどちらか一方だけではない神をさし示しているゆえんである。

『重力と恩寵』（ちくま学芸文庫、一九九五、二四三頁）

先に引いたオスカー・ワイルドの「立派な芸術家は作品のうちにのみ存在」するという言葉は、「作品が完全なもの」であるならば、描いている画家の生身の人間性から作品が離れて、神のように「匿名（存在しない）」になっていくと言いたかったのだろうか。

束芋さんの世界が物語っていることは、わたしたちがそれぞれに感じることでしかとらまえられないものであり、それぞれの自由な解釈にひらかれている。束芋さんの身体を通過してうみ出されたアニメーションという虚像が、わたしたちの見ている現実の世界の向こう側にあるもうひとつの姿（パラレルワールド）だとすると、いま見えている世界は本当に完全な世界なのかどうかと、鑑賞者の身体は問いかけられている。

それに気づいたとき、もはや束芋さんやその意地悪さはもう遠くにいってしまっている（匿名）のである。

なんだかねっとりと動くあの指は、じつのところ自分の指のように思えてきた。

第5章

目で思考する

前夜

眼の延長としてのカメラとは？と想像する

「見ることには愛があるが、見られることには憎悪がある。見られる傷みに耐えようとして、人は歯をむくのだ。しかし誰もが見るだけの人間になるわけにはいかない。見られた者が見返せば、今度は見ていた者が、見られる側にまわってしまうのだ」（五二頁）

安部公房の『箱男』（新潮社、一九七三）には都市のなかに生きる人間の不思議な日常が綴られている。箱男の段ボールをカメラに見立ててみると、世界を見ることの意味や他者から見られることの意味について考えさせられる。さて、ドローイングの展示と合わせて企画した五週連続対談も、いよいよ明日が最後である。わたしは今日もこの展示会場に来ている。月曜日だというのに会場は賑わっていて、頻繁に席を立っているが、その合間を縫って明日の対談メモを書いている。連続対談のラスボスは、敬愛する写真家の鈴木理策さんだ。

大好きな写真家であり、いつも多くの刺激をもらい続けている。理策さんの写真にはじめて触れたのは、学生時代に手に取った建築家の青木淳さんの作品集だった。いままでの建築写真の常識に囚われない圧倒的に自由な表現に頁《ページ》をめくる手がすっかり止まってしまった。空間全体を説明的に撮ることを端《はな》から放棄して、空間のささやかな表情の変化を優しく包み込むように切り取った風景の断片がじつに尊く存在している。それはまるで、自分が青木さんの建築のなかを午後の光に照らされて散策しているかのようであり、余白がたっぷりあって惹きつけられるおおらかな写真である。とにかくその包容力のある光の美しさが際立つ、品のある写真なのだ。

ほかにも、セザンヌのアトリエや熊野の大自然などを撮った作品集を本屋で見つけては購入し、写真展にも出向いたりする大好きな写真家のひとりとなった。

わたしが建築家として独立してから間もない頃のことだったと思う。連載を書かせてもらっていた雑誌の担当編集者からホームパーティのお誘いがあり、同じくその雑誌で連載をしていた理策さんもいらしたのが、ご本人との最初のご縁となった。

想像よりも大柄なひとだったが、その澄んだ瞳が印象に残った。とてもゆったりした方で、青木さんの建築の話からカメラのこと、セザンヌのアトリエでの体験談など、憧れの写真家を前にわたしはかなり前のめりになって夜な夜なしゃべっていたし、素敵な器に入った美味しい手料理とお酒とともに楽しい宴《うたげ》として記憶している。

その後も理策さんの出身地である和歌山県新宮《しんぐう》での火祭りにお誘いいただいて、父と一緒に参加させてもらったり（拙著『これからの建築』にそのときのことを書いたエッセイを収録）、仕事で井上雄彦さんとバルセロナに行く際に、なんと理策さんのマミヤのカメラをお借りする（なんと図々しい）ことになったりと、大変お世話になっている。

とりわけ忘れられないのが二〇一五年の春に丸亀《まるがめ》市猪熊弦一郎現代美術館で開催された鈴木理策写真展《意識の流れ》を観たときの衝撃である。大きく焼かれた精密な写真群を前にして、まるで写真のなかに入っていけるような引き込まれるリアルさがあり、フラットなはずの写真にたしかな奥行きが感じられた。キラキラ光るイメージの力に圧倒されたのは、写っている対象が現代のはずなのに、時間感覚がないからだ。現代のようでもあり、大昔のようにも見える。そんな神話的時間のなかにいる理策さんの気配らしきものが写真からはっきりと感じられ、いま目にしているものをそっくりそのまま追体験できるような身体性に満ちた表現が、心に強く響いた芸術体験だった。

理策さんが教鞭《きょうべん》を執っている藝大に呼ばれたこともあるが、公開対談ははじめてで、いささか緊張している。改めて写真家・鈴木理策とどのような対話がうまれるのか、思いつくままメモに単語を書き落としながら必死に考えている。

写真と時間の関係性について、あるいは、イメージとスケッチの違いについて。二次元の表現行為という意味においては、写真とドローイングは似ているが、差異も決して小さくない。ともにカメラとペンという道具を使うが、特に対象を捉える方法やそのプロセスにかかる時間の違いは大きい。しかし、「撮ること」と「描くこと」に内在する身体的な共通点は、そこに「世界の見方」が表現されているということだ。

そこには、それぞれの記憶が関係してくるし、記憶の器であるわたしたちの身体と無縁とは思えない。そのイメージの入り口である眼が重要なのだ。世界をどのように見ているのか、眼の延長としてのカメラがどのような存在なのか、創作の秘訣も含めて話してみたい。

創造における身体と言語の関係

鈴木理策との対話

「個」と「集団」のあいだで

光嶋　今回は写真と時間を中心にお話を聞きたいと思っており、「目で思考する」という入り口を設定させてもらいました。まずは今回の新作ドローイングが理策さんの目にどう映ったか、感想から聞かせてください。

鈴木　はじめて光嶋さんの絵を見たのがいつだったのか覚えていないんですけど、絵を見るよりも前に本人に会っていて、そのときの印象は非常に明快で、エネルギッシュで、よくしゃべり、判断が速い。それは建築家だから当然のことかもしれないけど、興味があることに対しても真っ直ぐで、いい意味でわかりやすい人だなと思いました。でも、絵を見たときに不安になったんですよね。本人の没入が強く表れている絵って、ちょっと怖いな、と。

なにか対象物の姿を写していくというのではなくて、自分のなかでの想像、イメージしていくことを際限なく続けられている。もちろん紙の大きさによる制約はあるにしても、オートマティックに迷いなく、延々と作業できている感じがして、見る側を絵のなかに引き入れてつき合わせるところがある。そこはちょっと怖いと思いました。本人の印象とギャップを感じたことをよく覚えています。

二〇一八年の「ときの忘れもの」での個展では、和紙に描いた作品を発表されていましたが、その和紙に墨が流し込まれていて、不確定な動きで表れている墨の黒と光嶋さんが没入して描いた絵が面白く関係していて、ある種の毒気というか、ぼくが「この人やばいんじゃないかな」と思った部分は緩和されていた。バランスをとって収まり良く仕上げているということではなくて、イメージと物質性を行き来するような広がりをもっていて面白いと思いました。その続きで今回は金箔が貼られていますが、物質的な関心や素材に対する比重が増したのかな。ビジネスの部分もあるのかな？

光嶋　値段は上がりましたが、作品の価格設定は画廊にお任せしているので、基本的に僕はノータッチなんです。いまの話でいうと、没入という言葉と危険という言葉がセットになっていてドキッとしました。

「個」としての内的創造力に重きを置く建築家像からスタートし、「集団」として設計するということをドイツで四年間働きながら経験したら、この両方が大事だと思うようになっていった。僕はその魅力をよくオーケストラに喩えるんですが、集団を束ねる力は指揮者として必要で、個としての能力は作曲家として必要になる。この両方を鍛えるうえで、ドローイングを描く行為は、自分と向き合うことができる「個」の鍛錬だと思っています。

鈴木　なるほど。建築家というのは、自身の内部に潜っていくような作家性と、他者を束ねる能力の両方が求められるんだね。

光嶋　そうなんです。けれど、一生懸命描いて、最後にサインしたら作品は終わります。あるとき、そこで次の一枚を描こうと思ったら、まったく同じ「白紙」というスタートラインに立っているのが辛くなってきた。

　そんなとき、井上雄彦さんとご縁があり、スペインとの交流四〇〇周年記念《ガウディ×井上雄彦特別展》の公式ナビゲーターをさせてもらい、井上さんと一緒に福井県武生《たけふ》に行って巨大な和紙を漉《す》く経験をさせてもらったんです。すると、ああ、これだ！　と思って、紙をつくってしまえばいいんだと気づいたんです。改めて武生に行って、まだ液体の状態で墨を流して、黒と白の和紙のぶつかり合いによって和紙をつくるというアイディアが生まれました。
　でき上がった和紙はスモーキーな空間というか、奥行きの感じられる和紙になっていて、これなら幻想都市がどんどん描ける、と確信した。しかも、液体のぶつかり合いは不可逆ですから、一枚として同じ和紙が存在しない。これは楽しいなぁと思いながら五年前から定期的に自分で和紙を漉くようになった。去年、同じく「ときの忘れもの」画廊に所属する金箔画家の野口琢郎さんと知り合い、奥行きのない金箔を貼ることで、その物質性が前面に出て、逆にその裏に描いているのかな、といった具合に奥行きにゆらぎがうまれるように展開してきました。

敷地からつくる

鈴木　和紙に流す墨が不確定な動きをしているところに、奥行き、レイヤーみたいな空間を見出すわけですね。

光嶋　つまり和紙が敷地なんです。もし北海道で内田先生のための凱風館を設計していたら、雪のことを考えて屋根の形も変わっていただろうし、ほかのコンテンツや予算が同じでも、僕は建築を敷地から発想するので、まったく違うものになっていたと思います。絵を描く和紙にも、そういう偶然性を引き受けたいし、不可逆な墨を流し込むということがとてもしっくりきたんです。

鈴木　紙の大きさはどのように決めているんですか？

光嶋　あれは畳のサイズの四分の一なんです。紙漉きって、和紙のタネが入る樽《たる》の大きさと、それをすくい取る枠の大きさによるのですが、僕は畳サイズの枠を四分割してそこに流し込んでいます。だから厳密に言うと伝統的な紙漉きとはちょっと違うんです。

僕の和紙づくりは、樽に入っている和紙のタネを木枠ですくい取る紙漉きではなく、とろとろに飽和状態までタネをつくって、片方は墨で溶いたものを入れて、もう一方には普通の白い和紙のタネを用意する。それを左右の手でそれぞれバケツですくい取ってドボンと四分の一ずつに区画された平らな網戸のようなものに流し込んでいく。

そうすると枠のなかで白と黒の液体同士がぶつかり合って、白の上に黒が、黒の上に白が重なり合い、タネが残って水が下に垂れていく。この制御不能な混ざり合いが、あのモヤモヤとしたスモーキーな表情をつくります。だから漉いているというより、一発ドンで流し込むことで、世界に一枚しかない和紙（敷地）がうまれます。

いつ筆を止めるのか

鈴木　なるほど、よくわかりました。自らつくった特別な和紙に対して、絵を描く行為はいつ終わるんですか？

光嶋　まさにいとうせいこうさんとの対話で熱く語らったテーマですが、暫定的な結論としては、線を描き足していくなかで和紙の余白との直感的なバランスを見ながら「サイン」したら終わるということ。そして、「描き続けたら死んじゃうんじゃないの？」と言われて、サインするという行為は仮の死だというふうに思うようになりました。描き続ける恐怖みたいなものと同居した気持ちが描きながらありますね。

鈴木　いつ死にたいと思うの？

光嶋　僕のなかでは白黒の和紙の余白との拮抗状態がちょうどいい「過剰性」に到達した少し手前で完成（死）が見えるんだと思います。これ以上描くと均衡が崩れると思うと、自然と手が止まる。

　もちろん締め切りというか、新作をどんどん描いてくれという場合もありますけれど、僕のなかでは、全体の余白との関係性が最大の決め手です。なので、サインをせずにいつまでも描くと、どうなるんでしょうね。ある過剰性みたいなものは、創造するうえで必要だと思っていて、その過剰性に程よいブレーキをかけることが狂気へと行きすぎないための肝だと感じています。それこそガウディのサグラダファミリアみたいに、生涯サインすることがないような巨大なものに立ち向かう心持ちっていうのは、想像するだけでゾッとします。ずっと描き続けることに取り憑かれる魅力はすごくよくわかる気がしますがちょっと怖い。

鈴木　たとえば、描きかけて置いておいて、何年か経ったあとに描き足すということはないんですか？

光嶋　基本的に発表するという目的があるので、サインをしない、もしくは完成しない作品というものはありませんね。でも、先の過剰性や画面上の均衡状態に対する感覚というものは自分のなかでも変わっていくので、むかしの作品に描き足したくなることはありますね。

　ドローイングに立ち向かう際のテンションみたいなものもあるので、個展前などは二枚同時に描いたりすることはありますが、僕のなかではやっぱりサインすることは、仮の死なので、未練を捨ててきっぱり次の制作に向かうようにしています。
僕の部屋には二〇〇七年に描いたはじめての幻想都市風景の大きなドローイングがあるんですが、いまの僕からしたら下手だなぁと思うところは多々あるけど、ベルリンから帰ってきて、「俺は本当に建築家として独立できるんだろうか」とか、悶々としていた当時の心象風景もそこに描かれているので、単純に描き直したいというより、そうした個人的な記憶との対話が面白いと思っています。

鈴木　画家の方とお話する機会があると、いつ絵を描き終えるのかをよく尋ねるのですが、ある人は「一瞬でも迷ったら」と言っていました。ずっと描き続けていて、「これでいいのかな」と一瞬迷ったら止めてみて、次の日にもう一回見て、まだ描くべきことがあれば描き続けるし、そうでなければそこで終えるのだと。作業に没入して迷わず進んでいるなかで、ふと迷いが生じるというのは、体力的なことや物理的なこと等、いろいろな要因があるでしょうが、画家が自分のなかで絵とやりとりをしていれば、ある種必然的に筆を置く理由が生じるのかな、と思うんですよね。

変化のなかで、失敗は生じない

光嶋　NHKの番組でずっと定点観測しながら奈良美智《ならよしとも》さんが絵を描く姿を見たことがあるんですが、何度も何度も消しては描いて、消しては描いてを繰り返していた。油彩はそういうことができる。上から白を塗り潰してしまえば、消してしまえる。僕はドローイングなので、和紙にインクで一発勝負ということで、下書きもしないし、失敗もできない。

鈴木　失敗はしない？

光嶋　失敗はするけど、必ずリカバーできるようになったので、結果的に失敗にならない。つまりわからなくなるってことですね。というのも、僕のドローイングは全部が足し算なんです。線に線を足し続ける。消せないから、ある意味では失敗もしない。

鈴木　ビクトル・エリセ監督の《マルメロの陽光》という映画があって、そのなかでアントニオ・ロペスというスペインの画家が庭のマルメロの樹をずっと描き続けているんです。かなり描き込んだところで、大きくなった実が重さで低く下がってしまったので、ロペスさんは描き直すことにする。友人の画家はここまで描いたんだからいいじゃないかと意見するのだけど、直しても、いままで描いたものは絵の下にあって、それは含まれるから、と言い切っている。

変化する対象を淡々と同じように描き続けること、一応のゴールを設定して、そこに向けて時間を均一に割り振りながら進んでいくというのは、自由に不確定に創造するのとはまったく違う描き方で、見ていてとても面白いなと思いました。時間はつねに流れ続けていて、変化や持続を記述することは難しい。時間を社会的に共有するために、時計の文字盤のように刻んで量的に設定してはみるけれど、何時何分と言ったときにはもうときは進んでいて、いまと言った瞬間に過去になっていく。すべてが動き続け、持続していることを表すことは、とても難しいことなんだろうなと思うんです。

量を撮れば、質が上がる？

光嶋　写真ってレンズから見えるものを一瞬のうちに正確に切り取っていく。そうすると、質と量の問題になってくる。もちろんカメラのスペックを使いこなす技術もありますが、普通の画家ではとうていたどり着けない精度で、カメラはイメージを的確に写し取ることができる。そうなった写真という技術がある世界において、つまり二次元の画像という世界において、質と量は、どういう関係性にあるのでしょうか。

鈴木　たくさん撮れば質が上がるのか、という問題ね。その場合の質とはなにを指しているんでしょう?

光嶋　写真の質というと、良い写真と悪い写真をどのように判断するかですが、記録として上手に撮ることとは違って、二次元の画像の世界において「こうでなければならない」という模範解答みたいな「質」があるわけじゃないけど、たくさん撮らなきゃ上手くなれないいんですかね。

鈴木　それは言われましたね。ぼくは写真学校に行ったんですけど、当時はやっぱりたくさん撮らないとダメだし、たくさん撮れる対象を選ばないといけない。要するに、たくさん撮れないというのは、撮る前から決めてしまっていることが多い状態なんだと思うんです。写真には、どう写るか判断しきれないことの魅力もあって、思い通りに写らないところが必ずある。もちろん、技術としてはすべて思い通りに写すことを目指す部分もあるけれども、思い通りには写らないことも写真の面白さなんですよ。だから「良い写真」とか「質」という言葉の定義も非常に難しくなってしまう。

ただ、学生の頃、実家から仕送りしてもらっていて、お金が足りなくなって母親に電話すると、いったいなににそんなにお金がかかるのかと訊かれて、たくさん写真を撮るとフィルム買うのにお金がかかるんだよ、と答えたら「よく考えて撮りなあれ」と言われたんですよね(笑)。だからぼくの最初の写真の先生は母親なんですよ。よく考えて撮りなさい、と。

光嶋　しっかりと対象を吟味したうえで、本当にシャッターを切っていいのかを考える。

鈴木　でも、考えて撮ると、考えたことが写真に写ってしまうので、考えたことが面白いかどうかが重要になってくるけど、写真って、さっき言ったみたいにじつは考え切れないんですよ。だからどう写るかわからない部分をカメラに任せる余地を含んだほうが、写真は絶対面白いと思うんです。でも、これはなかなか難しい問題なんです。

目で思考することは可能なのか

光嶋　それは面白い視点ですね。「目で思考する」というテーマは、まさにそういう頭で考える外にいくことができるのかということについて考えてみたいと思ったんです。いまは、言葉で対話しているので、単純化すると脳で言葉を吐き出していますよね。実際は理策さんと対話するためには、声を使っているので、この声を指令しているのも、やはり脳だと思うんです。するとこ「考えて写真を撮る」というのは、脳で考えたものを写真に定着させようとするわけですが、実際に撮れたものはイメージ通り撮れている部分もあるし、違うふうに撮れてしまっている部分もある。

この考えないでどう写るか脳ではわからない部分を目に任せるとどうなるんでしょう。つまり、カメラが目の延長であるならば、カメラに任せて写真を撮るということは、目に任せていることでもある。では果たして目で思考するということはそもそも可能なのか。頭で考えないで、目で思考して写真を撮るということができるのでしょうか？

鈴木　目で思考するというのは魅力的な言い方ですが、その前に、写真について語られる際によく混同される点、つまり「撮影」と「撮影した写真を見る」ことはそれぞれ別の作業だということを確認しておきたいと思います。撮影は、肉眼で世界を見て、そのことをカメラという機械によって映像的に定着する作業です。一方、できあがった写真を見るときには、写真としてどうかを見ています。スマホやデジカメで撮ると結果がすぐに見えるので、このふたつを切り分けて考えづらいかもしれません。道具の進歩は過去の不便から生じた要請を反映した結果なので否定はしないけれど、デジタル以前の、撮ることと、撮った写真を見ることのあいだに時間的にも心理的にも否応なく断絶を含むプロセスに写真の本性があるのではないかと思っています。ものを見るとき、ひとは自らの行動の有用性に基づき、必要なものを選び取って見ている。このとき、行動に有用ではないと判断された多くのものは見捨てられています。カメラはレンズを通った光で像を結んでいるだけですから、人間が見たものを取捨選択することとは明確に異なります。撮影は能動的に見る行為だと思われるかもしれませんが、撮影者が見ている以上にカメラは写してしまうのです。一九世紀に写真が登場した当時の人びとの驚きは、自分たちが見ていた世界よりも、機械の眼が写した世界のほうがより多くのものを捉えていたことに対するものです。

　レンズを通した光が内部で像を結ぶ構造において、眼球はカメラとよく似ています。極端な言い方をすれば、カメラは肉体から取り出した眼球のようです。でもカメラは自ら判断したり、選んで見ることはせず、ただ像を結ぶだけです。その機械に対して撮影者が行うことは大きく分けて三つ、構図を決めて、ピントを合わせ、シ

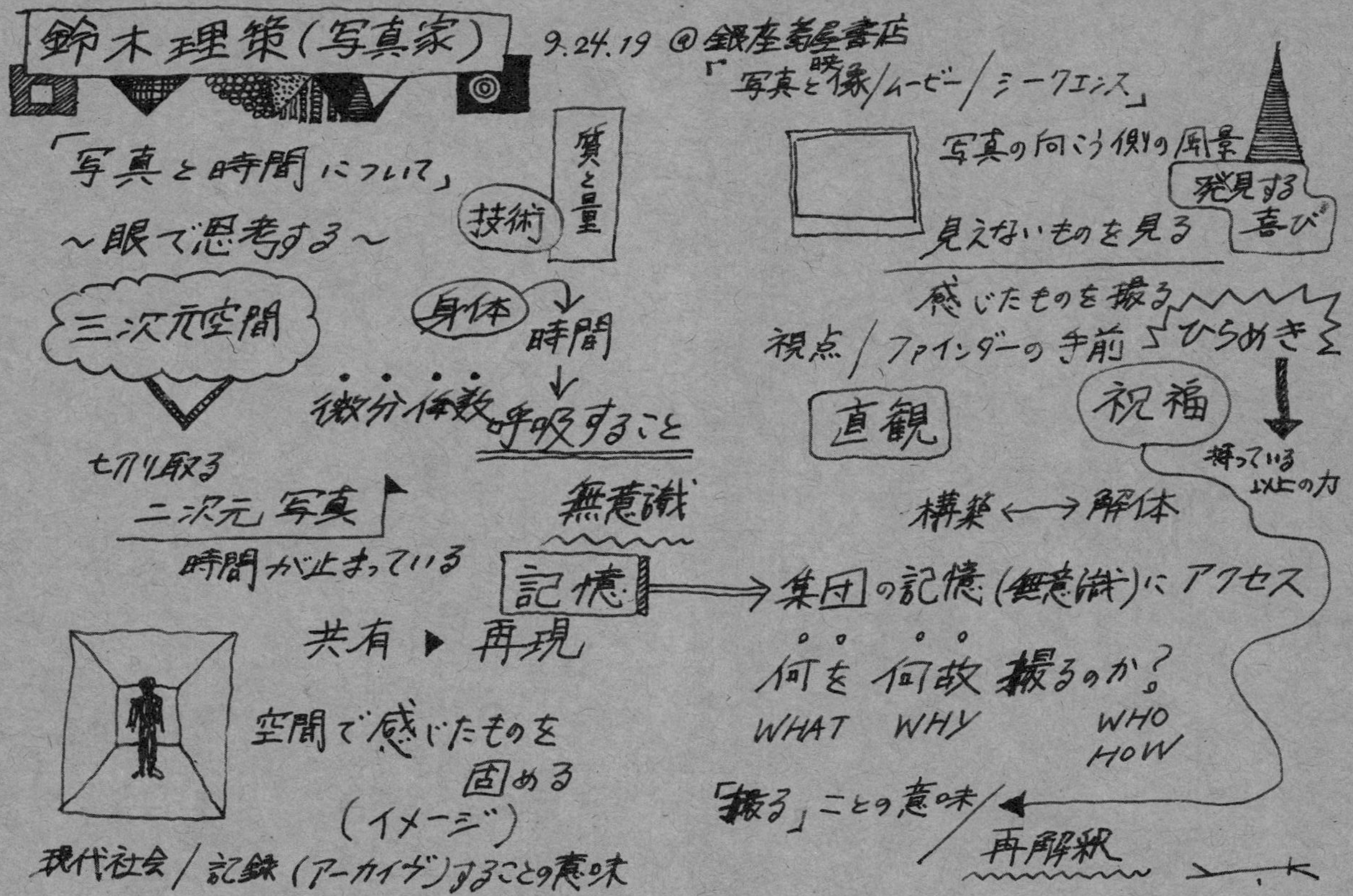
鈴木理策(写真家)
9.24.19 @銀座蔦屋書店
「写真と映像/ムービー/シークエンス」
「写真と時間について」
~眼で思考する~
技術
質と量
三次元空間
身体
時間
微分積分
呼吸すること
切り取る
二次元 写真
時間が止まっている
無意識
記憶
共有 ▶ 再現
空間で感じたものを
固める
(イメージ)
現代社会/記録(アーカイヴ)することの意味
写真の向こう側の風景
発見する喜び
見えないものを見る
感じたものを撮る
視点/ファインダーの手前
ひらめき
直観
祝福
撮っている以上の力
構築 ←→ 解体
集団の記憶(無意識)にアクセス
何を 何故 撮るのか?
WHAT WHY WHO HOW
「撮る」ことの意味/再解釈

ャッターを押すタイミングを選ぶ。この三つをどう操作するかに撮り手の意思や写真表現が表れると一般的には考えられていますが、それはちょっと怪しいと思っています。自分の思い通りに、それこそ目で思考する延長線上において撮ることこそ写真だと考える人もいると思います。でもぼくは、見えることとの自然に抗《こう》して、すべて自分の望む通りにコントロールすることには興味が無くて、偶然に写ってくることの面白さを大事にしたいところがあります。撮影のときは、その場所で自分の身体がふるまうことを写真に近づけたいという気持ちです。

　要するに、写真のために写真を撮らないという目標がある。でも写真撮ってんじゃんと言われてしまうんですけど。

光嶋　それは長いキャリアのなかで、いまの時点でたどり着いたひとつの暫定的な結論なんですか。それとも、かなり早い段階からいま言ったような写真とのスタンスになりましたか。

鈴木　東京に出てきて写真を学びはじめた頃は、コマーシャルやファッション写真にも興味があったし、いまのように写真に対する考えが明快だったわけではありません。

光嶋　考え抜いた結果として、写真と身体の接近というか、写真のための写真は撮らないというふうな境地にたどり着いた感じでしょうか。

鈴木　写真ってなんだろうと考えながら制作してきて、現れてきたモチーフのように思います。

人間が機械に生命力を与えている

光嶋　まさに機械としてのカメラには身体がないことが鍵になるように思います。だからこそ、意思決定の部分を人間が補完してあげないと機械は機械として機能しない。人間の身体的な介入が機械に生命力を与えていると考えられないだろうか。そうすると、理策さんがご自身の身体を通して感じているもの、それを知識とか経験を経てカメラという機械を身体の延長として使って心を通わせることで、なにかを表現することができるようになる。

興味深いと思ったのは、理策さん自身でさえも気がつかない、たとえば薔薇《ばら》を見るという行為ひとつとっても、薔薇を見て瞬発的に美しいと感じることと、写真に撮ってみて事後的にあるいは偶然写ってしまったなにかと対面することで知るもうひとつの薔薇の美しさがあるということが面白いと思いました。

鈴木 それは、現実の世界を前に、写真になったらどうなるかを想定して、作業をするということですか？

光嶋 そうですね、その想定に対して裏切られることが「そうか、俺はこういうふうに薔薇を見ていたのか」という無意識の発見にもなっていて、それを楽しむ余裕があるってことですよね。

鈴木 そうですね。

光嶋 でも、それって難しくないですか？ どうやってそれを裏切りと感じるのか。そもそも自分が想定していたものがどこまで確固たるものとして写真に撮ってみる前にイメージできるかということにも関わってくる。

鈴木 そうですね。奇妙に聞こえるかもしれないけど、写真を見るたびに「ああ、こんなふうになってるんだ」と発見する。

光嶋 自分で撮った写真を見ているときにそう感じるんですか？

鈴木 いい写真だなあとか（笑）。

光嶋 理策さん自身もご自分の作品を見て「いいなぁ」と感じるってのは、なんかとても素敵ですね。当たり前のことかもしれませんが、作品づくりにおいて、驚くことや肯定することによって創作にドライブがかかりますよね。

鈴木　だから、すごく自分で驚くし、面白いなって思っている。展覧会で大きくプリントした写真を改めて見ると、「ああ、ここはこんなふうになってるんだ」とか。

光嶋　香川の丸亀市猪熊弦一郎現代美術館で理策さんの写真をあれだけの大きさで、あれだけたくさん観ると迫力もあって、痺《しび》れました。大きく焼かれた写真の艶《つや》がものすごく印象的で、強く引き込まれながらも、理策さんの写真って明確な意図が押しつけがましく存在しないのを改めて感じたのを思い出しました。それは、どこか「わかりにくい」という不安な気持ちにもなる。でも僕にとっては、ただただそこの風景に同期していくことで、風を感じたり、音が聴こえてきそうになったりする写真群でした。

鈴木　さっきの、時間が流れ続けているという話と同じで、写真は時間を止めているというふうに見えるけれど、写真を見るとき、そこにも時間が流れ続けているから、見尽くせなくて、見終えることができない。

光嶋　そうですね、写真を撮るというのは、その瞬間の時間を止めていることでもある。だから いま写真を撮れば、それは、二〇一九年九月二四日の一九時四九分という一瞬の風景の記録でしかない。その一瞬が写真として閉じ込められても、もし発表されるとしたら、そこから写真を「見る」という新しい時間がはじまる。写真を撮った瞬間に立ち会っていないひとが写真を見ると、ひたすら想像するしかない。でも、シャッターを押したひとには、当事者としてまた違った見え方がするわけで、そこに強い意図を込めることもできる。でも理策さんの写真って、すごくニュートラルというか、力が抜けている。

つまり写真には撮ったひとが撮った場所で知覚した情報と時間があり、その写真を見るひとには、またそのひとの別の情報と時間というたくさんの視点と時間が折り重なっていく。いくつものレイヤーをもった時間がずっとループするということですね。それこそが写真というものが内包している運命かもしれませんね。

写真の日付を消す

鈴木　それは具体的な日付のある記憶というか、日付のある写真のことですよね。さきほどいつからそういう考え方なのかと訊かれましたけど、ある時期から「日付」は消している。風景のなかに時間が流れ続ける写真を撮っていて、そこには日付がないということです。

光嶋　なるほど。二〇一八年にある山のなかに入ったとして、ものすごく大変な思いをして撮ったとしても、二〇一八年という情報は写真には必要ないということですか？

鈴木　そうです。そういう対象は日付を必要としません。……街、都市では撮ってないですね。

光嶋　都市には、時間を伝える情報が多すぎますね。

鈴木　絶対入ってきますからね。

光嶋　内田先生との対談でも「光嶋くんは時間を描きたいんだと思うんだよ」と言われたんですけど、理策さんが時間の経過を消そうとしているのに対して、ドローイングで時間を描くってなんなんだろうって考えるようになりました。

鈴木　光嶋さんは日付を入れたいんですよね。サインしていますもんね。サインって、別になくてもいいんじゃないかと、ぼくなんかは思うんですけど、それは光嶋さんには必要な部分なんだと思います。写真は実際には撮影の日付が必ずあるんですけど、自分の作品では、見てくれた人のなかに、その都度新しい出会いを生みたいと考えているし、いま時間が流れているということを経験してもらいたいと思うんです。

光嶋　それって、ご自身のなかにある身体感覚や感情的なものを、誰かと共有、再現したいという次元のものですか？

鈴木　ある意味では再現だし、共有していると思いますよ。ものを見るという行為において。でも写真は写されたものを指し示すだけで、それについて写真自体が意見を語ることはありません。写真撮影の三つの作業、フレーミングやピントやシャッターのタイミングにおける作意をどんどん無くしていくと、本当に、ただ写る。それが面白いというか、理想なんですよ。

光嶋　「結局撮ってるじゃん」と言われるとあれなんだけど、自分と向き合うことと、自分を脱ぎ捨てることの両方をやろうとするというか、主観的でありつつも、客観的であることの多義性を追求しているようにも見えますね。

鈴木　でも、言葉ではないかたちで表れるものが面白いなとは、思っているんですよね。

言葉にならないなにかと対峙する

光嶋　時間についてもう少しだけ言わせてもらうと、時間を消していくという発言を聞いて、改めて感じたのは、理策さんの自然のなかの写真群を見ていると、ものすごく遠くの時間というか、それこそ縄文時代の風景を見せてくれているように感じることがあります。どこか太古の日本人って、こういう光を見ていたんじゃないかと意識の上でジャンプできる。

鈴木　杉本博司さんの《海景》は、太古の海とつながっているように感じられるし、おそらく水平線が長い時間変わらずにあり続けている。ぼくも山のなかで写真を撮って歩いていると き、ちょっと疲れたなと思って、道の脇の木々のあいだのような小さな空間に腰を下ろして道のほうを眺めていると、古くからあまり変わっていないこの山道で、大昔にもこの道を歩いた誰かが「ひと休みするのにちょうどいい場所だ」と、ここに座ったかもしれないなと思ったりはします。そういうとき、この身体を通して、世界との出会いを共有していると感じます。

たとえば、いまここにハエが飛んでいたとして、そのハエにとって、ここは銀座の蔦屋書店じゃないですよね。空いている空間を飛んでいるだけで。このペットボトルも、ぼくらにとってはペットボトルだけど、ハエにとっては飛んで進むのに邪魔な障害物、あるいはすがるのにちょうど良い場所だったりするから、それぞれの身体によって世界の現れ方がちがってくる。

光嶋　生物学者のユクスキュルのいう「環世界」の差異がそれぞれの種としての差異だけでなく、同じ種のなかにもそれぞれ個別の身体に環世界の差異がもちろんある。それを言語化して、共有することを脳だけに考えさせて委ねるのは難しい。だから今回、空間を身体で思考するということに挑戦する連続対談をさせてもらっていますが、クリアカットに正解があるわけではないので、毎回興奮しながら対話を繰り広げる反面、いつも宿題が残るような感覚というのも片方にはあります。

僕はわからないからこそドローイングを描いているはずなのに、サインをすることは死であるとか、画面のなかに時間を描こうとしているとか、言葉ってすごく強いから、それに支配されてしまう。ある種の呪いがかかってしまう。わかりたいのに、完全にわかった気になると呪縛にかかって、思考停止状態になるのは、とても辛い。

偶然性もそうだし、言語化できない感覚こそを頼りにしていたはずなのに、つい頭で考えてしまって、ああ俺はいまサインをしながら仮に死んでいる、みたいにわかった気になってしまうけど、結局はわからないみたいなことの連続で、ぐるぐる螺旋階段を上《のぼ》るように少しずつわかるとわからないのあいだを行き来している。この「わからなさ」とどうつき合えばいいのか。

鈴木　恐怖はないですが、ものをつくるって、潜んでいるものに手を突っ込んで引っぱり出してくるようなところがあるんですよ。表現を志す若い人たちのなかには、まず言葉をもってきて、コンセプトとか、ルールみたいなものを設定してから作業がはじまることがとても多い。もちろん挑戦もあり、いろんな工夫があって、ものが生まれてくることもあるんですけど、あらかじめ言葉で決めていなくても、やっているうちにひとりでに進んで作品が生まれている、という人もいます。

時間の制約があるなかで制作している場合もあるので、考え方を最初に決めておくのは正攻法なんですけど、逆のほうが面白い部分もありますよね。

潜んでいるものが現れてくるなんて、滅多にないことなんですけど、オーバードライブしていく感じのものの現れ方や創造のプロセスに惹かれるところがあります。そうやってつくられたもの、要するに言葉を前もって設定せずにつくられたものって、ひとの目に触れることで言葉を呼ぶんです。だけどつくった本人も言葉で語れないとダメだと思う。表現にはそういう宿命があるのでしょうね。

光嶋　そこには本来、良いも悪いもないんですよね。なんとなくそこで思考停止になってしまうというか、言語を頼りにしすぎてしまうと、型にはまってやっぱり不自由になる。言語と非言語のあいだの葛藤というか、せめぎ合いのなかに創造の本質があるのかもしれない。

鈴木 それは難しいですね。

人間の眼とカメラの眼にはズレが生じる

光嶋 あと「手を突っ込んで引っぱり出す」ってのは、大変興味深いですね。

鈴木 潜んでいるというか。見えていない部分があるっていうことですよね。ぼくらは、必要なものしか見てないですから。

光嶋 頭の前方にしか眼がないから、全部を見るのは不可能ですよね。つねに死角があり、僕たちの眼は、自分の見たいものしか見ないという側面がどうしてもありますね。

鈴木 すべてを一度に見ることはできなくて、見えているのは断片です。そして、その断片をつなげるのはぼくらの意識です。全体像は意識のなかではじめて見えているんですよね。写真も、一枚で完結しているようですが、世界の断片です。フレームの外、前後の時間、見えない部分を想起させる面白さがある。写真を複数で見せる際には、社会的な文脈、土地の全体像、移動の軌跡、個人的な物語など、じつに幅があります。でも、どんな主題であっても、断片同士を組んでいくときにそこでなにが起こるかということは、よく考えなければいけない。だから、繰り返しになりますが、撮影と撮影した写真を見ることは意識的に分けておいたほうがいい。

分けて考えるほうが面白い。それはそれぞれが五〇パーセントずつということではなく、どちらかに重点をふってもいいですよね。スマホで撮ってインスタに載せるなら、そこでの見え方に特化していけばいい。

　ものを見ることは、情報として断片を手に入れていることで、写真ととても近いことです。でも写真の場合は、たとえばここで光嶋さんを撮ったときに、フレーミングによっては、ここが蔦屋かどうかはわからなくなる。情報が極端に減らされる可能性があります。

　音楽や、遠くのほうで聞こえる話し声や、なにかの香りや、空調の風や、ちょっとだけ肌寒いこととか、いまここで感じている感覚を総合的に経験として記憶する。光嶋さんが建築のスケッチをしているのと同じことで、関わって手に入れているから立体的なんですね。その点、写真は見えていることとしか手に入れられない。

　まさに断片としての情報です。だけどあとから写真を見たときに、光嶋さん指輪してたんだ、とか、シャツの柄はこんなふうだったんだ、とか、隣にいたときには意識しなかったことに気がつくことが起こる。潜んでいたものが、写真によってあらわれてくる。そういうズレというか、細部が遅れて現れるみたいなことが写真には必ず起こるのですが、広告写真などの役割を担った分野では極力そのズレを制御することを目指すと思うし、あえて制御せず、できあがった写真を見るときの発見の余地を楽しむというのも方法のひとつです。

光嶋　なるほど、写真という映像情報からどうしたって意味を読み取ってしまうのは頭だけど、実体験と写真化された映像のズレ、言い換えれば人間の眼とカメラの眼のズレが絶対に生じてしまうということが面白いですよね。複合的な感覚による記憶と、視覚情報だけの写真による記憶の違いですね。

ダメな写真はない

光嶋　そこで、やっぱり僕は写真家として実際に写真を撮っている理策さん自身に関心があります。つまり、つくり出す行為、クリエイションの側に興味があり、創作と身体について知りたいと思っています。日本語にはふたつの「創造・想像」がありますが、僕はクリエイションのためにはイマジネーションが必要だと思っていて、ここもなんとなく言葉ではわかっているんですが、こうして五人の方々と対話を重ねてきて共通しているのが、根底に流れている「つくる喜び」みたいなものに大事なヒントがあるように思ったんです。うみ出すことの幸せ、もしくは祝福をいかにして日常生活に取り戻すか。

おそらく理策さんが言った、写真を見るなかに時間というものが絶対にあるんだという指摘にヒントがあり、それって人間が呼吸しているのと一緒ですよね。写真を見ることで時間を認識するってことは、メトロノームのように自分が呼吸していることも再認識できるようになるということ。緊張しているときは速かったり、呼吸というのは身体の刻む無意識な時間のリズムなんだと。これはひとそれぞれ違うものなので、やっぱり個別的な身体と関わりながらもつくる喜びというものをもう一回再発見するためにはどうしたらいいのか。

鈴木　じつはぼく、ダメな写真はないと思っていて、どんな写真でも価値があると思っているんですよ。さきほど自分の写真を見て驚くという話をしましたけど、その頻度は減ってきている。習慣化するというのはそういうことですからね。習慣が驚きを消していくんです。

光嶋　「ダメな写真はない」というのは、とても大きなステートメントですね。なるほど、そこに理策さんの写真に対する深い愛を感じます。

ちなみに、習慣に関して言うと、建築写真というのは、建築写真家というジャンルがあるくらいに確立されたものですが、理策さんにとって建築を撮るというのは、そうした習慣化しているルールみたいなものから距離を置いて撮るということですか？

鈴木　建築写真というのは実物の建物を代弁する役割をもつものだと思います。外観や内部のディテールなど、建物の特徴的な部分を取りこぼさずに記録する。情報をできるだけたくさん盛り込みます。それから、建築よりも写真のほうが長生きで、あとに残るから、建物がなくなってしまったあとも、建築家の思想や望む見え方を写真が引き受けて後世に伝える役割もあると思うんですよ。ぼくが興味あるのは写真なので、そこで自分はなにを見たか、なにを優先して見ているかといった、その建築空間における自分の身体的なふるまいを残せれば面白いかな、とは思います。

光嶋　そのふるまいみたいなことは、個別的な身体に依るものでしょうか？

鈴木　そうですね。その空間のなかでどこに目がいくかとか、見る順番みたいなことは無意識的なことなので。

光嶋　そのような身体的なモードは、カメラを持つとスイッチが入るような類のものですか。

鈴木　カメラを持っていなくてもやっていることに、カメラをつき合わせているという順番ですね。

光嶋　なるほど。ちなみに、いとうせいこうさんは「僕は降りてくるんだ」と言ってご自身の創作について憑依型であることを自覚していて、チョコレートを食べることがスイッチになっているると言っていました。

鈴木　そうなんですか。むかし、小説を書いている友だちにどうやって書くの？　と訊いたら、一度映画みたいに頭のなかでシーンを映像的にイメージして、それから書くと言っていました。

光嶋　へえ、一度全部を映像としてイメージしてからでないと書かないということですか。

鈴木　そうですね。頭のなかで映像化するらしいんです。そうやって書き上げたものを新人賞に応募したんだけど、そのときの審査員の山田詠美さんに選評で「この小説はＡＴＧだ」と書かれたそうで。

光嶋　ＡＴＧ？

鈴木　一九六〇年代から九〇年代のはじめにかけてＡＴＧという日本の映画会社があって、そこで撮られる映画のようだ、ということが書かれていたそうです。まさにその通りなので、彼は「なんでバレたんだろう」って言ってました。

このエピソードを以前、古井由吉《ふるいよしきち》さんにお話ししたことがあって、そうしたら、小説にはもうひとつタイプがあって、「言葉が言葉を呼ぶ」、つまり、言葉が降りてきて、さらに書いた言葉が言葉を連れてくるという書き方をする人がいるとおっしゃっていましたが、いとうさんはそちらですね。

光嶋　せいこうさんも、これはたまたま俺のやり方であって、万人に通用することではないと言っていたんですが、理策さんもゾーンと言いますか、写真を撮るというときになにかありますか？

鈴木　ないですね。カメラを持っていることを忘れるように撮ろうとしているので、そういうのはないですよね。

光嶋　そうでしたか。たとえばセザンヌのアトリエを撮るときに、セザンヌはきっとこうだったからみたいに頭でいろいろなストーリーを考えてしまいそうですが、カメラを持っていることを忘れないで、そこにセザンヌがいたということなどを皮膚感覚として想像して、頭で考えすぎることをなるべく排除する感じでしょうか？

鈴木　いや、そこまで厳密なことでもなくて。セザンヌのアトリエに関して言えば完全にミーハー状態で、そこにいるだけで幸せでした。置いてあるコートとか、撮影しながら気になって、ちょっと着てみようかな、でもそれは怒られるかな、とか。

光嶋　そういう空間に入って写真を撮るという行為に対して身体的コンディションってどう影響するんでしょうか。たとえば二日酔いじゃ撮れないとか、太ったら写真が鈍るとか。

鈴木　どうでしょう、カメラが重くなるぐらいじゃないですかね？　でも大分県のケベス祭を撮りに何度か行ったことがあって、お祭りの最後に棒の先につけた大きな火の玉を振り回して、集まった参拝者に火の粉をふりかけるんですよ。はじめてのときはその迫力にびっくりしたけど、二回目に行ったとき、撮りながら次にどうなるかがわかったんですよ。あの人はこっちに動いてこうなって、という感じで見えた気がして。それでらくらく撮れちゃって。五秒後とか三秒後が見えることに、ちょっと感動して、次の年も行ったけど、あれは一度きりのことでしたね。

光嶋　なんか予言者みたいで、すごいですね。身体がなにかをきっかけにしてある種の予知能力を獲得することってあるんでしょうね。ただ、たしかに変化したその感覚を持続させるのは難しそうだし、そのことを過信したらダメなんでしょうね。

鈴木　そうですね。身体と意識の関係は不思議で、いちばん面白いところだと思います。

余韻

偶然を捉え

世界を愛でるおおらかな写真

理策さんと話していると、自分のなかの世界をつくるうえにおいて「見る」ことがいかに決定的であるかを再認識させられた。この内なる世界は、それぞれの価値観と言い換えても良い。自分の価値観とは、自分がどのように世界を見ているのか、あるいは、どのように世界を解釈しているのかを意味する。だからこそ、見える世界とその向こうにあるかもしれない、見えていない世界に対する意識、想像力をもつことがたいせつになってくる。

自分が見えていると思っている世界というのは、じつのところ、自分が切り取っている有限の世界でしかないということをまず自覚しなければならない。自分の見たい世界だけを見て、それこそが外の世界のすべてだと都合よく思い込んでしまうことは危険であり、そうならないように、どうしたらいいのか。世界をより広く捉えるための余白を意図的に残しておくこと。つまり自分が捉えている世界がつねに不完全な世界であると認識し、断片的な世界でしかないにもかかわらず徹底的に「見る」ことを通して、思考する時間を持続させることに尽きる。そのために写真を撮ることと、写真を見ることをセットで考えることがたいせつであると、昨日改めて感じた。

一九世紀初頭にカメラ・オブスキュラが発明されてまだ二〇〇年も経たないのだが、いまでは携帯電話に高性能なカメラがついていて、写真を撮ることがあまりにも手軽で身近になり、わたしたちは日々の生活における記録を写真という媒体に残すことがものすごく容易になった。それにより、人間は感動した瞬間という忘れたくない時間を少しは忘れないで記憶に留められるようになったと考えられる。

しかし、本当にそうだろうか。怪しい。

むしろ、写真を撮るという行為があまりにもイージー（簡単）になってしまったが故に、感動を閉じ込めるという意識がめっきり薄れてしまっていないだろうか。忘れたくないという気持ちの発露からシャッターを切るのではなく、記録という手段がすっかり目的になり下がってしまい、撮ることだけで満足してしまいがちになった。要は、せっかく撮られた写真が、あまり見られなくなってしまったのである。プリントされることもなく、ほとんど見られることもない膨大なデータだけが携帯電話のなかやパソコンのハードディスクに亡霊のようにみるみるストックされていく。

でも、本来ひとは写真を撮る瞬間に、なにかの衝動に駆られてシャッターを切っているはずだ。感情に語りかけてくるそのなにか、言葉にならないなにかに、それぞれの身体が反応して写真を撮ってきたのではないか。そうしたイメージがそれぞれの内なる世界観を構築する材料となっていくためには、当たり前だが、写真を見ないといけない。

美しいと思って撮った教会の写真を見てみると、ゴツゴツした壁に綺麗な光が陰影をつくっていることや、雨などが染み込んだことで折り重なった時間の表情が感じられたり、吸い込まれるように透き通った空に浮かぶ雲の造形と教会の塔のシルエットが妙にシンクロして美しく感じられたりと、実際の教会を前にして感じた質感とはまた違ったものが、写真を前にして見る時間をたっぷりもつことで獲得できる。

写真は意図したものがそのまま撮れるわけでもないし、逆に意図せぬものまで写ってしまうところに妙がある。何故なら、太陽の下では平等に光線が地球上の表面に降り注がれるからだ。わたしたちの目が世界を見ることができるのは、すべてこの光のおかげなのだ。

だから光に晒された外の世界をカメラで切り取って写真に残し、撮られた写真をじっくり眺めることで世界をより知ることができる。わたしたちは写真、つまりイメージを見ながら考えて、世界を少しずつ自分なりに知っていく。そう考えると「写真を撮ることと、写真を見ることをちゃんと分けて考えないといけない」と理策さんが言ったのは、写真を撮るという行為が目に見える風景から「考える」という時間を写真を見るときまで「先送り」していることに対する違和感というふうにも受け止められる。

わたしたちの眼はつい見たいものだけを見てしまう傾向がある。見えないものは、どうしたって見えない。自分が立っている場所から見るという視点が絶対に存在し、そのため死角という見えない場所がつねに存在する。つまり、世界全体を俯瞰的に捉えることは、理論的に不可能なのだ。

そんな眼の延長としてカメラを考えると、写真に収めることができるのも、もちろんレンズに収まる範囲だけということになる。意識的にせよ、無意識的にせよ、写真に写っているのは、いつだって切り取られた世界の断片である。しかし、撮ることと同様にたいせつなのが、撮った写真を徹底的に見るということであるのは、見ることを通して写真を理解し、偶然を捉え、世界に暫定的な解釈を与えることが可能になるからだ。ゆらぎ続ける不確実な世界を透明な目でなるべく正しく認識し、不完全な自分をつくり変えることができるようになる。

建築雑誌で美しい建築の写真を見ても、実際に訪れた建築で感じたものとは大きなギャップがあるように、自分で撮った建築の写真であっても、自分がそこで感じた建築の体験と写真に捉えられたイメージは決して同じではない。だからこそ「記録」として撮った写真を、それこそ穴が開くまで見てみることで、体験したことを思い出し、脳内で自分の記憶として血肉化することができると、思った。建築と対話しながらスケッチすることが単なる記録を超えて、描いたひとにとっての血の通った「記憶」となって定着することができるように。

だから、写真を撮ることだって、スケッチ同様、しっかりと写真を見ることを通して持続的に思考する時間を確保することができれば、記録から記憶へと深化することができるのかもしれない。そのためにはやはり、撮った写真を携帯やパソコンの画面で見るのではなく、ちゃんとプリントアウトして見ることでイメージと向き合いたい。長い時間をかけてイメージを見ることでしか思い出すことのできなかった些細な発見がある。イメージが誘発する関係性のジャンプが必ずある。だから画像を溜め込むのではなく、プリントして見ることで、イメージを咀《そ》嚼《しゃく》し、自分の世界を見る目を鍛えて、豊かな感性を育てたい。

写真を「撮る」と「見る」というのは、文章を「書く」と「読む」の関係に似ている。撮ると見るも、書くと読むも、どちらが上位にあるという関係ではない。ただ、撮らないと（書かないと）見られない（読めない）し、見ること（読むこと）によって撮ること（書くこと）も変わっていくから、質と量の問題が発生する。たくさん撮らないと上手に撮れないという技術の問題になっていく。しかし、理策さんは「ダメな写真はない」と断言した。

この発言にわたしは心から感動してしまった。理策さんの写真というものに対する深い眼差し、絶対的な信頼のようなものを感じたからだ。創造に対する忠実な想いがあふれ、優しく肯定されたことにわたしは救われる思いがしたのである。

これを読むと書くに換えると、「ダメな文章はない」ということになろうか。

なるほど、写真も文章も質のことを考えると「良いか悪いか」という判断基準の問題が浮上する。けれども巧拙を問うことよりも、写真そのもの、文章そのものをそのまま受け止めることのほうがよほど豊かな可能性にひらかれていて、たいせつなのではないかという理策さんの問題提起には全力で賛同する。

理策さんが撮った写真に、セザンヌのアトリエがある。

不思議なグレーの大理石の天板のある箪笥《たんす》の上に花瓶や少年の石膏《せっこう》像、その石膏像を描いた素描、皿に乗った林檎などが太陽光に優しく包まれている様子が写っている。生前のセザンヌのアトリエであると言われなければなにもわからない。しかし、そこに置かれた物の配置や質感から行ったことがないにもかかわらず、その場所のなんだかタダならぬ空気の重味あるいは手触りみたいなものが撮っている理策さんのあふれる幸福感とともにじわじわ伝わってくる。時計の針が止まったかのような遅い時間感覚から、少し埃っぽい臭いまでもが写真から洩れてくるのが感じられるようだ。頭で考えたり、イメージの巧拙をジャッジしたりするのではなく、ただただ受け止めて、写真を眺める謙虚な姿勢のたいせつさをおおらかな理策さんの写真は教えてくれているように思えてならない。

言語学者の井筒俊彦《いづつとしひこ》は、エッセイのなかで次のような指摘をしている。

> 真の書き手にとっては、コトバ以前に成立している客観的リアリティなどというものは、心の内にも外にも存在しない。書き手が書いていく。それにつれて、意味リアリティが生起し、展開していく。意味があって、それをコトバで表現するのではなくて、次々に書かれるコトバが意味を生み、リアリティを創っていくのだ。コトバが書かれる以前には、カオスがあるにすぎない。書き手がコトバに身を任せて、その赴くままに進んでいく、その軌跡がリアリティである。「世界」がそこに開現する。
> 『読むと書く』（慶應義塾大学出版会、二〇〇九、四二二頁）

この「書き手」を「撮り手」に、そして「コトバ」を「写真」に換えてみても、まったく問題なく意味は通じるだろう。カオスがあるにすぎない世界は、写真を撮ることで意味が生まれるのであって、もともと意味があるものを写真に撮っているのではないというふうに考えるとなんだか腑に落ちる。そう理解してみると、リアリティをもった写真をどのように見る（読む）かがやはり重要になってくる。井筒はこの「読む」についても、深い洞察を続ける。

「読む」読者は、コトバを通して自己表現する書き手の「我」をそこに探そうとしてはならない。そんなものは始めからそこにはないのだから。また、コトバを通して、その向う側に、言語以前の客観的世界を求めてもいけない。書かれるコトバに先行する客体などというものは、いかなる意味においても実在しないのだから。コトバは透明なガラスではない。本来的に不透明なコトバが自らの創造力でリアリティを描き出す、ただそれだけ。こういう形でのコトバの展開が、すなわち存在の自己形成なのである。

（同、四二四頁）

これまた写真に置き換えてみると、撮られた写真に先行する客体などというものはなく、写真を見ることで創造力がリアリティを獲得するということだ。「存在の自己形成」というのは、わたしが最初に述べた「世界の見方」と同じである。

だから、写真の良し悪しを恣意的に判断するのではなく、ただただ見ること。この原初の状態をわたしは身体的に「ひらかれている」ように感じている。

自分の世界観や価値観に静的に閉じこもることなく、つねに動的に自己を更新するためには、新しいことにひらかれた自由な場所を自分のなかにつくり続けねばならない。その余白としての自由な場所で持続的に思考する時間をもつことで、想像の選択枠が増えていく。そのとき、外の世界と内の世界の境界線にいる自分の身体感覚を信頼するという至極当たり前なことに思い至った。それは、自分の内側を丁寧に観察するということと地続きなのである。

この連続対談で「空間を身体で思考する」というのは、このひらかれた状態を意識すること だった。先入観や固定概念で凝り固まった脳みそのシワをマッサージすること。頭で決してわかった気にならず、それぞれの現場の身体感覚に判断の権限を脳から移譲すること。安易にわかろうとしないで、自分のなかの「わからない」耐性を上げること。なにかがわからない状態を味わい、もがくことでしかブレイクスルーは起こらない。

自分の感覚をひらくことで、余白がうまれて未知の世界との接触面が拡張する。脳だけではなく、皮膚感覚だったり、遠くの音に耳を澄ましたり、目で見えるものを徹底的に見て、見えないものを心の目で眺めること。目先のこともわからない不確実な世界でも、肺の奥まで深くきれいな空気を吸い込んで、心身を整えながら、このひらかれた身体がキャッチするシグナルに対してつねに創造的であれたら、毎日をゴキゲンに過ごすことができるのではないかと思っている。

つくりながら生きる道〜対話を終えて思うこと

建築家という生業

わたしが生涯の生業《なりわい》として選んだのは、建築家という道である。

それは大学二年生の夏にバックパッカーとしてヨーロッパの重厚な建築を見てまわった旅のなかで見つけた淡い夢のはじまり。その夢は、あまりにも頼りなく、不確実なものだったが、いざ「建築家として生きていく」と決断してしまえば意外と気楽なもの。むしろ無根拠な自信がどこからともなく湧いてきた。やっぱり夢には力がある。

夢はただ見るものではなく、ちゃんと育てなければならない。わたしの場合は、ペンを握って、手で思考することによって夢の種子に水を与えていくことになった。

誰からも依頼されてなくても、頭のなかで妄想した「幻想都市風景」というドローイングを毎日毎晩描いている。自分なりの建築に対するヴィジョンや都市のあり方、はたまた自然と建築の関係性について手で考えて、紙の上で表現していく。そうして「描く」ということが、わたしの「働き方」の土台として組み込まれていった。

作品を発表するようになって一〇年以上経ったいまでも、飽くことなくドローイングを描き続けられているのは、自分でもいささか驚いているくらいだ。

「継続は力なり」とはよく言ったもので、大変ありがたいことに、「ときの忘れもの」という画廊と契約し、いまでは定期的に個展を開催したり、海外アートフェアに出展させてもらったりするようにまでなった。根底にあるのは「ただ描く」という無目的な態度であり、それこそが継続するための秘訣だと確信している。

建築家として事務所で設計することと、ドローイングを描くことの両輪によって、わたしのなかの建築の世界観は、拡張していった。つくりながら考えていくと、自分が多義的に見えてくる。簡単にはわかり合えない他者とそれでもなお関わることで、自分がゆっくり変容していくチャンスを得る。

建築家としての仕事というのは、つねになにかを「つくる」領域に属している。つくり続ける終わりなき旅。建築であれ、ドローイングであれ、書籍であれ、なにかをつくって、誰かに喜んでもらうという幸せのバトンをまわしながらわたしは働いている。

曖昧な自分と外の世界

チリ生まれのふたりの生物学者ウンベルト・マトゥラーナとフランシスコ・バレーラが生命の謎を紐解くために書いた『知恵の樹』（朝日出版社、一九八七）のなかで、「生物は絶えず自己を産出しつづけることによって特徴づけられている」（二五-二六頁）と言ってオートポイエーシス（自己創出）組織という考え方を提示した。加えて「生きている存在」を定義するのに「自分自身を作りだしてゆく」とともに「みずからの境界を設定する」というふうにも述べている（二三頁）。

世界は絶え間ない運動のなかにある。

この動き続ける世界という見方にこそ、生命的であることの本質が現れる。動的な自分というものを規定しているものには、物理的な肉体だけではなく、精神的な心や魂といった目には見えないものも含まれている。この目に見える自分と見えない自分は、共に動き続けて混ざり合っている。

こうして相互作用する関係にある外の世界と自分の境界線を無理に引こうとすると、どうしても曖昧なものになり、どんどんわからなくなっていく。皮膚がわたしの肉体にとって一番外側の境界線なのか、それとも洋服だって自分の一部なのだろうかと。

合気道のお稽古をしているときに内田先生は「道場では、自分の場所を主宰しなさい。お稽古をするときは、半径二メートルほどの見えない円錐の中心に自分がいることをイメージするように」と、言うことがある。このときのわたしにとっての「自分」という境界線は、肉体としての身体、外周を覆っている皮膚や着ている道着よりもさらに外にあるように感じられるから不思議なものだ。身体のまわりの空間と自分が不可分になり、そうした空間を含めたもっと大きくて未分化なものを全体としたより包括的なものを「自分」と認識するようになる。


では、「空間」のほうは、どうなのか。

空間だって、そもそもそこに人間が入ることではじめて発生すると考えられないだろうか。空間というものは、あらかじめ無条件に物理的に存在するのではなく、概念として人間のなかで想起するものである。いかなる空間も、知覚するのは、いつだって人間なのだから。

つまり、人間の生命の器としての身体があって、はじめて空間というものがそれぞれに立ち上がる。そのためには、わたしたちの身体も、まわりの空気などを皮膜とした薄い空間を含めて、自分の身体を拡張するように、空間と絶え間なく交流していると捉えるほうがよほど自然に思えてくる。

身体は、真空状態にポツンと独立して存在するのではなく、つねにまわりの空間と一緒に存在しているという仮説を立ててみたい。

「空間」と「身体」は、ミルクティーとタピオカみたいに別々のものが混ざっているのではなく、水と氷のように互いに同じものが渾然一体となって混ざり合っている状態のように解釈してみると、空間と身体は、決してスパッと切り分けられるものではない。互いに重なり合いながら、絶え間なく動いて（変化して）いるのである。

そうした大きな意味での自分（氷）が置かれている環境（水）を仮に「外の世界」だとすると、いかにしてわたしたちが自分と不可分な外の世界を見て、感じて、なにを交換しているのかが、自分の「内なる世界」を構築するうえでものすごく大事になってくる。

この外の世界を、「自然」と言い換えても良い。

自然とは地球であり、わたしたち人間には制御できないものである。たいせつなことは、つねに地球は、変化し続ける、不安定なものであるということだ。いつだって動いているということは、渦のようにエンドレスに循環していることを意味する。

地図としての環世界

他人はもちろんのこと、地球の大地や、野生の自然、見えない霊的なものも含めた自分ではない壮大な外部は、いつも大きな渦のように循環している。わたしたちはそうした外の世界から絶えず情報を得て、自分たちの「内なる世界」というものを日々対話しながらつくっている。その情報を採り込む「窓」こそ、一人ひとりの身体感覚なのだ。個々に立ち上がるこの「内なる世界」のことを、エストニア出身の生物学者フォン・ユクスキュルは、「環世界」と名づけた。環世界は、個々人の「外の世界」の認識の総体であり、それぞれ固有なものである。

そんな環世界には、正解も、絶対的な意味もない。つねに漂う流れのようなものだけがある。わたしたちのなかの世界も同様にゆらぎのなかで循環している。わたしたちが学びによって変容していくのは、自分の環世界が外の渦と接触し、その都度自己の価値観が揺さぶられた結果なのである。この環世界が上書きされていくことで、わたしたちは学び、成長（進化）するサイクルに入ることができる。

それをもっとも効果的にするには、日々の生活のなかで人間ならざるものや、自分の理解を超えたもの、わかり合えない他者と触れ合うことで、予想もしない刺激を得ることだ。自らの想像力を拡張するためには、想像の埒外《らちがい》の世界に手を伸ばすほかない。

未知なる外の世界と遭遇し、触れ合う経験を通して、「自分なりの地図」としての環世界をひたすらチューニングし続けること。ここに「自分が変わり続ける」という学びの本性があり、自らの環世界の解像度が上がっていくことで世界を包括的に見ることができて、どんどん幸せな気持ちになる。

世界の見方を磨いていくと、それは不確実な社会を生きのびるための武器になる。

無批判な思考停止の状態では、社会の波にただ飲まれて、つい流されてしまう。そうではなくて、自分で考え、自分をつくり変え続けていくことで、自らの生命力を鍛錬したい。逞《たくま》しくしぶといフィジカルをつくるのだ。

すると、自分と他者をあまり比較考量しなくなり、物事を俯瞰して捉えられるような寛容さが自然と養われていく。自分の価値観や哲学を柔軟に更新するきっかけは、いつだって自分の外部にあり、圧倒的他者との関わりがたいせつなのだ。

この圧倒的他者とは、繰り返しになるが「自然」である。

外の世界の自然というのは、わたしたちと関係なく、ただただ存在している。わたしたちの理解をはるかに凌駕して、さまざまなものが見えない秩序のなか複雑に関係し合っている。多様なモノがゆらぎながら無意味に循環している。自然とは、決して首尾一貫したものではなく、ましてやわたしたちの意のままになるようなものではない。制御できない圧倒的な「他者」なのだ（逆に人間がコントロールしてつくった機械というのは、自分の思い通りになるから効率的だが不自然なのかもしれない）。

無意味に存在していた自然をわたしたちは知覚し、自らの内部に採り込むことで、はじめて自由に思考することができる。そこでわたしたちにとって「必然的な意味（概念）」というものが発生するからだ。野生の自然など自分の外部にあるものに接することで、自然に対して敬《けい》虔《けん》な気持ちがうまれ、ひらかれた学びが発動する。そんな自然という他者と、人間という身体が出会うことで、自らもその一部になり、その都度新しい刺激を、新しい意味へと精妙に変換し続けている。

学びのプロセスでは、自分が変わって、小さく変身している。

ここでわたしたちが外の世界と交換しているのは、数値として測ることのできない生命力である。この生命力を介してわたしたちは、自然と対話し、自分の身体で思考している。

閉じないで、ひらくのだ。

尊敬するフランス人庭師のジル・クレマンは、『動いている庭』（みすず書房、二〇一五）のなかで「この庭の手入れと進化をつかさどる全般的な哲学、すなわち、できるだけ『あわせる』ようにして、なるべく『逆らう』ことをしない」（一〇三頁）というふうにして、動的な自然と肩肘張らずに付き合う心構えをわたしたちに教えてくれている。

重要なことは、動き続ける外の豊穣な世界から自分が汲み取る「意味」というものは、つねに相対的なものでしかなく、儚《はかな》いものであるという認識をもつこと。自分が自然と同化して感じたシグナルは、形成されては消えていく。動的な外の世界を経験し、思考することによって自分のなかの意味が変容し続けているのだ。

この「可塑性」にこそ、生命の学びの本性がある。だから自然というものは一見無意味のようであっても、そうした世界と触れることで「わたしたちもその一部である」という責任ある自覚が芽生えてくるのだろう。もろく暫定的な意味がその都度生成され、自らの環世界を変化させることで、自分なりの価値観の物差し（地図）が更新されていく。

つくると分解という大きな循環

イギリスの社会文化学者ティム・インゴルドは「つくることを『成長』の過程だと考えたい」（五五頁）と『メイキング』（左右社、二〇一七）と題した本のなかできっぱり述べている。この「つくる」という行為を単なる「生産」ではなく、心を込めて「消費」するという活動的な生活とセットで考えることで「成長の過程」をたしかに感じられると、わたしは考えている。

そのためにできることがふたつある。

それは、「つくるをお金で測らない」ことと、「つくる目的を過度にもたない」ことである。料理をすることと食べること、本を書くことと読むこと、絵を描くことと観ること、建築をつくることと住まうこと。なにかを「つくっていること」と「使っていること」は、コインの裏と表のように、いつもきれいな対を成している。モノ（商品）に対してお金（資本）が介入し、その価値を測ることで交換することが可能になる。

しかし、つくることを通して自らが成長していくためには、むしろお金に囚われない自分だけの判断基準というもうひとつの地図をちゃんともっていなければならない。それこそが、自分の身体が外の世界から受信している「生命力」の最大の可能性ではないだろうか。

自らのパフォーマンスの精度を上げるには、この生命力を高める必要があり、外の世界に触れていることで、自分も含めたすべてが、大きなエネルギーの渦のなかで循環していく感覚が芽吹くはずだ。まわりの空間と同化すること。温泉に入っているときの自分の身体が温泉には み出して、溶け出していくような一体感と似ている。測定可能なお金だけを基準にするのではなく、数値化できないけど曖昧で豊かな生命力を基準にして、自分の身体と外の世界とのたしかなやりとりに耳を傾けたい。

歴史学者の藤原辰史は「私たちの暮らす世界は、破壊のプロセス、すなわち分解のプロセスのなかを生きているにすぎず、そのなかにあって何かを作るのは、分解のプロセスの迂回もしくは道草にすぎず、作られたものもその副産物にすぎない」(『分解の哲学』、青土社、二〇一九、二九頁)と力強く述べていて、なんだか背中を押してもらっている気がしてくる。

つくることを分解からの再生という、大きな循環として見てみると、まるで急に高い樹木にでも登ったかのように、パッと視界がひらけてくる。つくることが「分解のプロセスの道草」だと思えば創造のハードルが下がり、つくることがより楽しくなるからだ。

無目的に歩いていると、まわりの環境の変化に敏感になるように、つくることを広げることは、世界がいろんなものと複雑につながり合い、動的な均衡を保っていることを引き受けることでもある。そうして寛容な感性が育てられていく。

忘れてはならないのは、自分の身のまわりの環境を変えるということが、自分自身を変えることでもあるということ。じつは毎日の生活を通して、わたしは自分が少しずつ変わっていくことをたしかに勉強させてもらっている。義務としてやらされるのではなく、自ら「やりたい」と自発的に思える心の小さな声に応答するのだ。

やりたいから、やる。しかし、継続して行動するには、やりたいからやるだけでは決して続かない。むしろ、偶然性に身を任せ、それをやらないとどうしようもないからやるという感覚に近いように思う。なにより自己を変容させるひらかれた学びを知ると、勉強することが辛いという呪いが漸進《ぜんしん》的に解けていく。自分をつくり変えていくような勉強は楽しいのだ。

つくるをひらく

ドイツに住んでいたとき、友人が週末にベルリンから車で半時間ほどの郊外にある「クライネガルテン（小さな庭）」という自分たちの家庭菜園に連れて行ってくれたことがある。ジャガイモやトマト、玉ねぎを自分たちの手で育てているのを手伝わせてもらった。はじめて行ったのに、どこか懐かしい感覚があったのをよく覚えている。

スーパーの棚に並ぶような大きくて綺麗な形をしていなくても、自分たちの手で土に触れて育てた野菜は、とびっきり美味しい。自前の玉ねぎからつくったオニオンスープは、いかなるレシピであっても美味いに決まっている。それを家族や友人と分かち合うことができたらなおのこと、心が温まる。こうした幸福は、決してお金では測れない。

植物は太陽の陽を浴びて、雨の水で潤い、土のなかの微生物と戯れながら根を張り、地球から栄養をもらって静かに成長する。地球の生態系が、生命の循環によって成り立っていることを、植物たちは静かに教えてくれている。

そうして育てたトマトを食べると、トマトは、わたしたちの身体の一部になっていく。わたしたち人間が自然と深く関わりながら循環し、ともに一体であることが少しずつわかってくる。植物と接していると、先のインゴルドの言うように、つくることを「成長の過程」だと捉えることの意味がよく理解できる。きっと物事の時間がゆっくりだから。

土を耕し、野菜を育てていると、自分の身体や命が有限であるように、地球だって有限であるということにおもむろに気づかされていく。自然が有限であると意識することは、自分より大きなものの渦を感じている小さなサインであり、その大きなうねりに自覚的に参加することは、物事を俯瞰した長い時間感覚をもつことを意味する。

この大きな渦としての循環に謙虚にコミットすることが「つくる」ことではないか。

この「つくる」を実践するためには、頭で考える意識に頼りすぎないで、身体で考える無意識に主導権を譲ること。それが、つくるを「ひらく」ことの第一歩に思えてならない。

巨大な地球を相手にすると、(それは将来の自分の一部でもあるわけだから) ただ単に自分さえ良ければいいという利己的な考えは、徐々に薄くなっていく。意識を休めて、無意識に身体をひらいていくと、地球上の自然がうまく循環するように、自ずと利他的にふるまうようになっていくのではないだろうか。

もちろん、みんなが土をいじって百姓になればいいという単純な話ではないし、なれるわけでもない。しかし、もっと自分の「つくる」に自覚的になり、大きなサイクルとしての自然と無意識に交わることができれば選択肢が広がっていく。自分の身体と心にたくさんの余白をもって(多孔性)、地球(自然)と関わるあらゆる方法を模索すればいい。わたしたち人間は、高速回転するランニングマシーンからそろそろ下りてもいいのである。

いきなり自給自足するのは難しくても、もっとも命に近い食生活から考え直すことはできるだろう。自前で料理をつくるという方向にシフトしてみると、使っている食材がどこからきているかが見えてくる。ゴミを出さずに土に還すことも考えられるようになる。実際に土に触れることができなければ、顔の見える農家さんから直接野菜を買うことを通して、彼らを支援することもできるだろう。やり方は、さまざまだ。

「つくる」を「ひらく」ことは、「つくる」を再定義することであり、「つくる喜び」をたしかな実感として感じられるように、まず身体をひらくことに立ち返ること。

なにも、絵を描いたり、音楽を演奏したり、写真を撮ったりする芸術的な「仕事」としての「つくる」ことだけを指しているのではない。わたしたちの日常は「つくる」にあふれている。

身体が循環（生命）によって生きているのは、わたしたちが無意識的につねにつくっているからであり、つくることを使うことも含めた大きなサイクルとして認識することができれば、生きるための視野や関心が広がっていく。「考える」ことが、自分の新しい言葉をつくることであるように、身体感覚をオープンにして、日常生活を丁寧に生きることだ。

ゆらぎに満ちた自然という外の世界に対して、凝り固まった身体感覚をひらき、空間をきめ細かく知覚すると、毎日の生活のなかに埋もれた身近な「つくる」が実感できるようになる。

「つくるをひらく」とは、この日常のささやかな創作に対する当事者意識を高め、自分ごととして地道につくり続けることなのだ。衣食住に限らず、芸術などの文化的な営み、新しい言葉や思考をつくることによって、一人ひとりが利己的にではなく、利他的につくることによって他者に手を伸ばし、他者とつながることが楽しくなる。自分を赦し、成熟した大人になっていく。つくることの祝福が他者と共有されると、仲間ができて、共同体がつくられていく。他者への想像力をもって誠実につくり続けることで、未来（現実）がゆっくりひらけてくる。

偶然としか思えないご縁がひらけて、しなやかに成長するきっかけとなっていく。自分がなにをいかにしてやりたいか。誰のために、どのように生きたいか。つくるをひらくことで、思わぬかたちで光が見えてくる。その小さな光に導かれるように、謙虚な姿勢で、ゴキゲンに情熱を込めてつくり続けること。ときに痛みを伴うことがあっても、身体感覚に耳をすませ、決して変化を恐れず、自分がいつも変わり続けることが、ひいては、動き続ける不確かな世界のなかで明るく生きる智慧と活力を高めてくれることだと信じている。

このことこそ、わたしが五人と「一緒に考える」という至福の対話を通して受け取った最大の贈り物である。

尊敬する五人との対話からおよそ一年の歳月をかけて、じっくりその余韻に浸りながらつくったこの一冊を改めて振り返ってみると、自分の身体感覚を今まで以上に信頼し、未知なるものとしての自然（他者）と素直に触れ合い、つくるをひらくことによって立ち上がる新しい小さな問いに、真正面から立ち向かうたしかな勇気をもらったのである。

最後に日本を代表する演出家のひとりである竹内敏晴のことばを紹介して筆をおかせてもらいたい。「からだとことば」というワークショップを主宰していた彼の主著『ことばが劈かれるとき』（思想の科学社、一九七五）には、次のような意味深いことばが綴られている。

演技とは、からだ全体が躍動することであり、意識が命令するのではなく、からだが自ら発動し、みずからを超えて行動すること。またことばとは、意識がのどに命じて発せしめる音のことではなく、からだが、むしろことばが自ら語り出すのだ。

形が、ことばが、叫びが、生まれでる瞬間を準備し、それを芽生えさせ、それをとらえ、自らそれに立ちあい、自らそれにおどろくこと、これが私にとって、今のところ、劇という名の意味するものだ。そのような美しい瞬間があるに違いない。自分がほんとうに自分であるとき、もはや自分は自分ではない（意識しない）というような瞬間が。からだが見、からだが感じ、からだが叫び、からだが走るのだ。（二〇九—二一〇頁）

この躍動する「からだ」が「ことば」を語らしめる状態こそ、本書に引き寄せて考えてみると、つくるをひらくことが、どこか自ずと「つくらされている」ようなナチュラルな感覚が芽生えることであるように思えてくるのである。

作品キャプション

【口絵 p1】
《幻想都市風景 2019-01》
のディテール（部分）
900mm x 450mm
和紙にインク、金箔、2019 年

【口絵 p2-p3】
《幻想都市風景 2019-01》
のディテール（部分）
900mm x 450mm
和紙にインク、金箔、2019 年

【口絵 p4】
右
《幻想都市風景 - Tower》
420mm x 328mm
紙にインク、金箔、
プラチナ箔、2019 年

左上
《幻想都市風景 2019-02》
のディテール（部分）
450mm x 900mm
和紙にインク、2019 年

左下
《幻想都市風景 Wave-1》
420mm x 328mm
紙にインク、金箔、
プラチナ箔、2019 年

【口絵 p5】
右上
《幻想都市風景 Wave-2》
420mm x 328mm
紙にインク、金箔、プラチナ箔、2019 年

左上
《幻想都市風景 2019-Towers》
のディテール（部分）
450mm x 900mm
和紙にインク、金箔、プラチナ箔、2019 年

下
《幻想都市風景 2019-02》
のディテール（部分）
450mm x 900mm
和紙にインク、2019 年

【口絵 p6-p7】
《幻想都市風景 2019-02》
のディテール（部分）
450mm x 900mm
和紙にインク、2019 年

【口絵 p8】
《幻想都市風景 Colors》
420mm x 328mm
紙にインク、新聞紙、油絵の具、2019 年

【本文 p199】
《幻想都市風景 Pastel-Blue》
372mm x 280mm
紙にパステル、インク、2020 年

対談者プロフィール

後藤正文

ごとう・まさふみ

1976年静岡県生まれ。ASIAN KUNG-FU GENERATIONのボーカル＆ギターであり、ほとんどの楽曲の作詞・作曲を手がける。ソロでは「Gotch」名義で活動。著書に『何度でもオールライトと歌え』『凍った脳みそ』（以上、ミシマ社）、『YOROZU ～妄想の民俗史～』（ロッキング・オン）、編著に『銀河鉄道の星』（原作：宮沢賢治、絵：牡丹靖佳、ミシマ社）など。

内田樹

うちだ・たつる

1950年東京都生まれ。凱風館館長。神戸女学院大学名誉教授。専門はフランス現代思想、武道論、教育論、映画論など。著書に、『街場の現代思想』（文春文庫）、『サル化する世界』（文藝春秋）、『私家版・ユダヤ文化論』（文春新書）、『日本辺境論』（新潮新書）、『街場の教育論』『増補版 街場の中国論』『街場の文体論』『街場の戦争論』『日本習合論』（以上、ミシマ社）など多数。第6回小林秀雄賞、2010年新書大賞、2011年度第3回伊丹十三賞を受賞。

対談者プロフィール

いとうせいこう

1961年生まれ。編集者を経て、作家、クリエイターとして、
活字・映像・音楽・テレビ・舞台など、さまざまな分野で活躍。1988年、
小説『ノーライフキング』(河出文庫)で作家デビュー。
『ボタニカル・ライフ—植物生活—』(新潮文庫)で第15回講談社エッセイ賞受賞。
『想像ラジオ』(河出文庫)で第35回野間文芸新人賞を受賞。
近著に『ど忘れ書道』(ミシマ社)、『夢七日 夜を昼の國』(文藝春秋)など。

束芋

たばいも

現代美術家。1999年京都造形芸術大学卒業制作として
アニメーションを用いたインスタレーション作品「にっぽんの台所」を発表、
同作品でキリン・コンテンポラリー・アワード最優秀作品賞受賞。以後2001年第
1回横浜トリエンナーレを皮切りに、2011年には第54回ヴェネチア・
ビエンナーレ日本館代表作家に選出される等、数々の国際展に出品。
近年は舞台でのコラボレーションも展開。

鈴木理策

すずき・りさく

1963年和歌山県新宮市生まれ。

2000年に写真集『PILES OF TIME』で第25回木村伊兵衛写真賞受賞。

写真集に『知覚の感光板』(赤々舎)、『Water Mirror』(Case Publishing・

日本芸術写真協会)、『SAKURA』『White』『意識の流れ』(以上、edition nord)、

『Étude』(SUPER LABO)、『海と山のあいだ』(amanasalto)、

『Atelier of Cézanne』(Nazraeli Press)、『熊野 雪 桜』(淡交社)など。

光嶋裕介
こうしま・ゆうすけ
1979年、アメリカ・ニュージャージー州生まれ。建築家。一級建築士。
早稲田大学理工学部建築学科卒業。2004年同大学院卒業。
ドイツの建築設計事務所で働いたのち2008年に帰国、独立。神戸大学客員准教授、
早稲田大学や大阪市立大学にて非常勤講師。建築作品に内田樹氏の自宅兼
道場《凱風館》、《旅人庵》、《森の生活》、《桃沢野外活動センター》など多数。
著書に『幻想都市風景』(羽鳥書店)、『建築武者修行　放課後のベルリン』(イースト・プレス)、『これからの建築　スケッチしながら考えた』(ミシマ社)、『増補　みんなの家。建築家一年生の初仕事と今になって思うこと』(ちくま文庫)など。

つくるをひらく
2021年1月30日　初版第1刷発行

著者／光嶋裕介

発行者／三島邦弘
発行所／(株)ミシマ社
郵便番号　152-0035　東京都目黒区自由が丘2-6-13
電話　03-3724-5616　FAX　03-3724-5618
e-mail　hatena@mishimasha.com
URL　http://www.mishimasha.com/　振替　00160-1-372976

装丁／鈴木千佳子
印刷・製本／(株)シナノ
組版／(有)エヴリ・シンク

ISBN 978-4-909394-46-0

凍った脳みそ

後藤正文

アジカン・ゴッチの
音楽スタジオ
「コールド・ブレイン・
スタジオ」。

その空間で日夜起こる、
脳みそが凍るほどに
理不尽でおかしな
出来事と事件。

ISBN 978-4-909394-14-9 1500円(価格税別)

ど忘れ書道

いとうせいこう

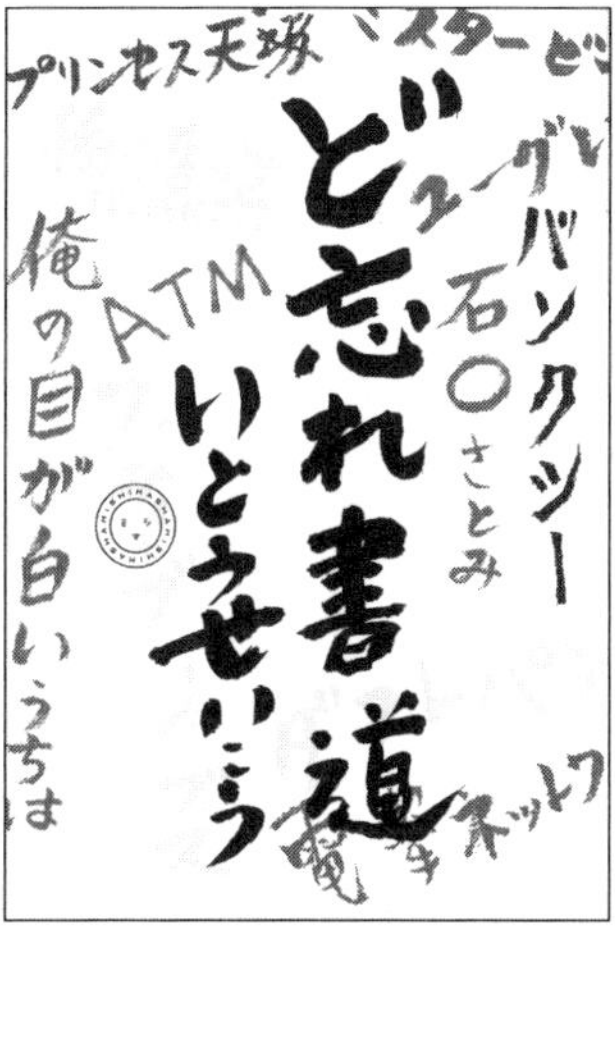

私の崩壊。
その過程を
みなさんに目撃して
いただきたいと思う。

忘れの天才がしたためた、
9年間の怒濤の
「ど忘れ」記録。
何の役にも立ちません。
by著者

ISBN 978-4-909394-38-5 1600円（価格税別）

日本習合論

内田 樹

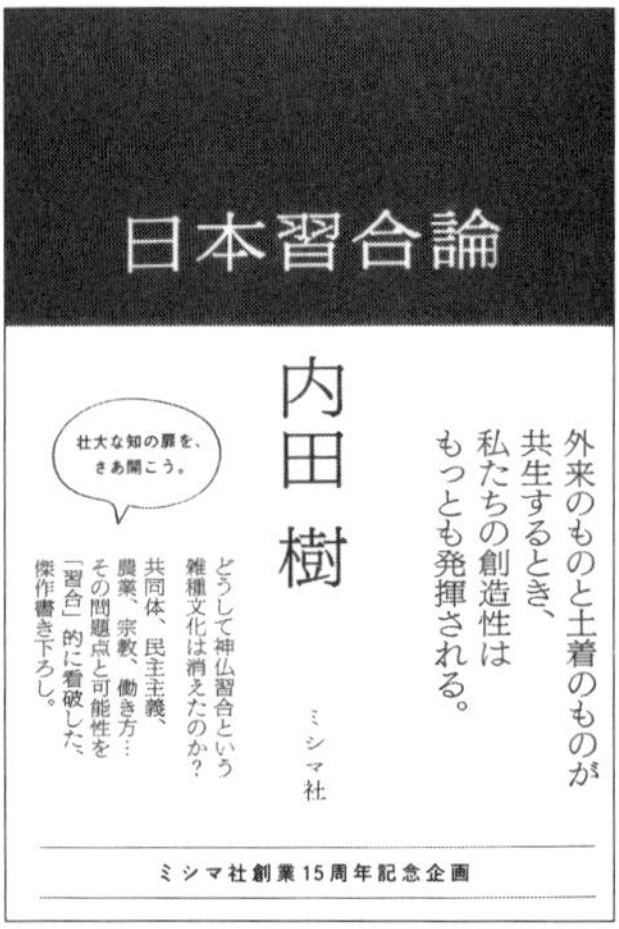

外来のものと土着のものが
共生するとき、もっとも
日本人の創造性が発揮される。

どうして神仏習合という
雑種文化は消えたのか?
共同体、民主主義、
農業、宗教、働き方…
その問題点と可能性を
「習合」的に看破した、
傑作書き下ろし。
壮大な知の扉を、さあ開こう。

ミシマ社創業15周年記念企画　ISBN 978-4-909394-40-8　1800円(価格税別)